Isaak Babel:
Die Reiterarmee

Deutsch von Milo Dor und Reinhard Federmann

Deutscher
Taschenbuch
Verlag

dtv

September 1987
Deutscher Taschenbuch Verlag GmbH & Co. KG,
München
Der Erzählungszyklus wurde entnommen aus:
›Exemplarische Erzählungen‹, Europa Verlag, Wien.

ISBN 3-203-50900-8
Umschlaggestaltung: Celestino Piatti
Satz: IBV Satz- und Datentechnik GmbH, Berlin
Druck und Bindung: C. H. Beck'sche Buchdruckerei,
Nördlingen
Printed in Germany · ISBN 3-423-10789-8

Das Buch

Isaak Babel hat 1920 mit den Kosaken des berühmten bolschewistischen Reitergenerals Budjonny am polnisch-russischen Krieg teilgenommen, in dem sich die junge Sowjetrepublik gegen die polnischen Großmachtansprüche zur Wehr setzen mußte. Die aus dem Erlebnis dieses Feldzugs entstandenen Erzählungen, visionär und realistisch zugleich, schildern in farbigen, gelegentlich grellen Bildern das Schicksal einer ganzen Epoche. Russische Revolution und Bürgerkrieg, die Grausamkeit des Krieges im Chaos einer zerbrechenden Welt liefern die Folie, vor der sich das Pandämonium menschlicher Leidenschaften mitreißend entfaltet. Mit Recht zählt die Kritik Isaak Babel zu den literarischen Genies der russischen Literatur. Milo Dors und Reinhard Federmanns Übersetzung, 1960 entstanden, folgt den Originaltexten. Die Kürzungen und Zensurstriche, die die späteren Ausgaben von Babels Werk entstellt haben, sind aufgehoben.

Der Autor

Isaak Babel wurde am 13. Juli 1894 in Odessa als Sohn eines jüdischen Händlers geboren. 1915 kam er nach dem Besuch des Gymnasiums in Odessa nach Petersburg. Gorki druckte seine ersten Erzählungen. Bis 1924 »trieb er sich« – wie er selbst sagt – »unter den Leuten herum«. 1923 begann er wieder zu schreiben, verzichtete aber, da er von der kommunistischen Literaturkritik scharf angegriffen wurde, auf die Veröffentlichung seiner Werke. Er bereiste während der Kollektivierungskampagne 1930 die russischen Provinzen als Korrespondent der ›Bauernzeitung‹. Wahrscheinlich wurde er 1938 im Verlauf der stalinistischen Säuberungswelle verhaftet und vermutlich am 17. März 1941 liquidiert. Auf dem Zweiten Allunionsschriftstellerkongreß 1954 wurde sein Name rehabilitiert.

Inhalt

Übergang über den Zbrutsch

Der Kommandeur der Sechsten Division meldete, Nowograd-Wolinsk sei im Morgengrauen eingenommen worden. Der Stab verließ Krapiwno, und unser Troß bewegte sich als lärmende Nachhut über die uralte Straße von Brest nach Warschau, die unter Zar Nikolaus I. auf den Knochen der Bauern erbaut worden war.

Auf den Feldern rings um uns blühte purpurner Mohn, und im gelben Roggen spielte der Mittagswind; am Horizont zeigte sich – der Mauer eines fernen Klosters gleich – jungfräulicher Buchweizen. Lautlos dehnte und räkelte sich Wolhynien und floh vor uns in den perlenfarbenen Nebel der Birkenwäldchen; es kroch zwischen blühenden Hügeln hin und verlor sich mit ermatteten Armen in den Ausläufern der Hopfenfelder. Die orangefarbene Sonne rollte über den Himmel wie ein abgeschlagener Kopf, das milde Licht entzündete sich in Wolkenschluchten, und die Fahnen des Sonnenuntergangs flatterten über unseren Köpfen. Der Geruch des gestern vergossenen Blutes und getöteter Pferde tropfte in die Kühle der Abenddämmerung. Der schwarze Zbrutsch rauschte und bildete schäumende Strudel auf den Stufen, über die er fiel. Die Brücken waren zerstört, und wir wateten durch den Fluß. Der Mond thronte majestätisch über den Wellen. Den Pferden ging das Wasser bis zum Hals, und das Flußbett klirrte unter Hunderten von Hufen. Ein Mann fluchte laut auf die Mutter Gottes und ertrank. Die schwarzen Quadrate der Wagen waren über den Fluß verstreut, und der Raum über den glänzenden Schlangen und Löchern des Mondlichts auf dem Wasser war erfüllt von verworrenem Lärm, Pfiffen und Liedern.

Spät nachts kamen wir in Nowograd an. In dem Quartier, das mir zugeteilt wurde, fand ich eine schwangere Frau vor und zwei rothaarige Juden mit dünnen Hälsen; ein dritter schlief mit zugedecktem Kopf und ganz an die Wand gedrückt. In dem Zimmer, das man mir gab, waren die Schränke zerwühlt, und auf dem Boden lagen Fetzen von Pelzmänteln, Kot und zerbrochene heilige Gefäße, die von den Juden nur einmal im Jahr, zum Passahfest, verwendet werden.

»Räumen Sie das auf«, sagte ich zu der Frau. »Wie können Sie nur in solchem Schmutz leben!«

Die zwei Juden standen von ihren Plätzen auf, sie hüpften in ihren wollenen Socken umher und sammelten die Fetzen und Scherben vom Boden auf; sie hüpften wie Affen, wie Japaner im Zirkus, und ihre Hälse schwollen an und wackelten. Sie machten mir die aufgeschlitzten Daunendecken zurecht, und ich legte mich zur Wand, neben den dritten Juden, der schon schlief, und das ganze Elend schlief mit mir auf meinem Lager.

Die Stille hatte alles getötet, und nur der Mond, der mit bläulichen Armen seinen runden, glänzenden, sorglosen Kopf umarmt hielt, wanderte unter dem Fenster. Ich bewegte meine geschwollenen Füße, legte mich auf die zerrissenen Daunendecken und fiel in Schlaf. Ich träumte vom Kommandeur der Sechsten Division. Er verfolgte auf einem stämmigen Hengst den Brigadekommandeur und schoß ihm zwei Kugeln zwischen die Augen. Die Kugeln durchschlugen den Kopf des Brigadekommandeurs, und seine beiden Augen fielen auf die Erde. »Warum hast du deine Brigade zurückgenommen?« schrie Sawitzki, der Kommandeur, dem Verwundeten zu, und da wachte ich auf, weil die schwangere Frau mir mit den Fingern über das Gesicht strich.

»Pan!« sagte sie zu mir. »Sie schreien im Schlaf und wälzen sich. Ich werde Ihnen Ihr Lager in der anderen Ecke machen. Sie stoßen dauernd meinen Vater.«

Sie hob ihre mageren Beine und ihren runden Bauch vom Boden und zog dem schlafenden Mann die Decke weg. Da lag ein toter Greis auf dem Rücken. Die Kehle war ihm herausgerissen, sein Gesicht in der Mitte gespalten, und geronnenes Blut klebte in seinem Bart wie ein Stück Blei.

»Pan!« sagte die Jüdin und schüttelte die Daunendecke auf. »Die Polen haben ihn geschlachtet, und er hat sie noch gebeten: ›Tötet mich draußen, damit meine Tochter nicht sieht, wie ich sterbe.‹ Aber sie machten es so, wie es für sie bequemer war. So starb mein Vater in diesem Zimmer, und dabei dachte er noch an mich. Und jetzt möchte ich wissen«, sagte die Frau plötzlich mit einer übermenschlichen Anstrengung, »ich möchte wissen, wo man auf der ganzen Welt einen solchen Vater finden kann, wie mein Vater war...?«

Die Kirche von Nowograd

Gestern ging ich zum Armeekommissar, der sich im Haus eines geflüchteten katholischen Priesters einquartiert hatte, um ihm Bericht zu erstatten. In der Küche empfing mich Frau Elisa, die Haushälterin des Jesuiten. Sie bot mir bernsteinfarbenen Tee und Biskuits an. Ihre Biskuits rochen nach Kruzifix; sie waren saftig und schmeckten irgendwie nach dem weihrauchgeschwängerten Pomp des Vatikans.

In der Kirche neben dem Haus gellten die Glocken, die offenbar von einem irren Mesner gezogen wurden. Es war ein Abend voller Julisterne. Frau Elisa schüttelte ihr graues Haar und bediente mich mit Kuchen, und mir schmeckte die Speise der Jesuiten.

Die alte Polin nannte mich »Pan«. An der Schwelle standen wie Bildsäulen Greise mit verknöcherten Ohren, und irgendwo im schlangenhaften Zwielicht flatterte ein Mönchsgewand. Der Pater war geflohen, aber er hatte seinen Gehilfen dagelassen: Pan Romuald.

Dieser Romuald, ein Eunuch mit riesigem Körper und einer weinerlichen Nasenstimme, nannte uns »Genossen«. Sein gelblicher Finger fuhr über die Landkarte und bezeichnete die Orte der polnischen Niederlage. Von einer dumpfen Begeisterung erfaßt, zählte er die Wunden seines Vaterlandes. Verzeihendes Vergessen bedeckte die Erinnerung an Romuald, der uns später mitleidlos verriet, und der dann übrigens erschossen wurde. Aber an diesem Abend hatte er mit seinem engen Gewand noch raschelnd die Türvorhänge gestreift und zornig alles aus dem Weg gefegt, und freundlich hatte er allen zugelächelt, die Wodka trinken wollten. An diesem Abend begleitete mich beharrlich der Schatten des Mönchs. Pan Romuald wäre womöglich noch einmal Bischof geworden, wenn er kein Spion gewesen wäre.

Ich trank mit ihm Rum. Der Atem einer unsichtbaren Ordnung der Dinge drang aus den Ruinen des Pfarrhauses, dessen schlaue und geheimnisvolle Lockungen mir die Kraft nahmen. O ihr Kruzifixe, verwittert wie Kurtisanenamulette, o Pergament der päpstlichen Bullen, o Atlas von Frauenbriefen, vermodert in der blauen Seide der Westentaschen...

Ich sehe dich vor mir, du treuloser Mönch, im violetten Mantel; ich sehe deine geschwollenen Hände und deine Seele, zart und grausam wie die Seele einer Katze; ich sehe die Wunden deines Gottes, die Samen fließen lassen, duftendes Gift, das Jungfrauen betäubt.

Wir tranken Rum und warteten auf den Kommissar, aber er kam einfach nicht aus dem Stab. Romuald sank in der Ecke zusammen und schlief ein. Er schlief und zitterte leise, und draußen im Garten, unter dem schwarzen, leidenschaftlichen Himmel schimmerte die Allee. Rosen wehten sehnsüchtig in der Dunkelheit. Grüne Blitze sprühten um die Zwiebeltürme. Eine entkleidete Leiche rollte den Abhang hinunter, und der Mondschein strömte über die toten gespreizten Beine.

Das ist Polen, das ist die aufgeblähte Trauer der Republik. Und ich, der gewaltsame Eindringling, bereite mein Lager in dem Tempel, den der Diener Gottes verlassen hat, und stecke mir Folianten unter den Kopf, in denen Gebete für den erhabensten und durchlauchtigsten obersten Pan Josef Pilsudski stehen.

Bettlerhorden erstürmen, Polen, deine uralten Städte, und über ihnen dröhnt das Lied von der Vereinigung aller Sklaven. Und wehe dir, Republik! Wehe dir, Fürst Radziwill, und dir, Fürst Sapieha, ihr Ritter des Tages!

Mein Kommissar kam und kam nicht. Wir suchten ihn im Stab, im Garten, in der Kirche. Das Kirchentor stand offen; ich trat ein, und von dem Deckel des zerbrochenen Sargs leuchteten mir zwei silberne Schädel entgegen. Furchtsam zog ich mich in die Krypta zurück. Von da führte eine eichene Treppe zum Altar empor. Und ich sah viele Flammen, die bis zum Kirchenschiff emporstiegen.

Ich sah den Kommissar, den Kommandeur der Spezialabteilung und Kosaken mit Kerzen in den Händen. Auf meinen schwachen Schrei hin kamen sie und führten mich aus dem Gewölbe.

Die Schädel erwiesen sich als Verzierungen auf einem Katafalk und erschreckten mich nun nicht mehr. Wir setzten gemeinsam die Durchsuchung fort, die sie begonnen hatten, nachdem in der Wohnung des Priesters eine Anzahl Soldatenuniformen gefunden worden waren.

Die gestickten Pferdeköpfe auf den Ärmeln unserer Uniformen schimmerten; wir flüsterten miteinander und klirrten mit den Sporen, während wir durch das hallende Gebäude irrten, geschmolzenes Wachs auf den Händen. Mit Augen, rosafarben wie Mauspupillen, verfolgten die mit Edelsteinen besetzten Madonnenbilder unseren Weg. Die Flammen flackerten in unseren Fingern, und viereckige Schatten zuckten über die Statuen des heiligen Petrus, des heiligen Franziskus und des heiligen Vinzenz, über ihre rosa Wangen und über ihre lockigen Bärte, die karminrot gefärbt waren.

Wir irrten umher und suchten. Unsere Finger glitten über beinerne Knöpfe und zerschnittene Heiligenbilder und ertasteten den Weg in schimmelüberzogene Keller und Höhlen. Dieser Tempel war uralt und voller Geheimnisse. Er barg in seinen schimmernden Mauern geheime Durchgänge, Vertiefungen und Türen, die sich geräuschlos öffneten.

O törichter Priester, der an die Nägel des Erlöserkreuzes die Mieder seiner Köchinnen hing! Hinter dem Allerheiligsten fanden wir eine Kiste mit Goldstücken, eine Tasche aus Saffianleder voll Banknoten und Etuis mit Smaragdringen von Pariser Juwelieren.

Dann zählten wir im Zimmer des Kommissars das Geld. Säulen von Gold, Teppiche aus Geldscheinen, ein unruhiger Wind, der die Flammen der Kerzen bog, dunkler Wahnsinn in den Augen der Frau Elisa, Romualds donnerndes Gelächter und das endlose Gellen der Glocken, die Pan Robacki zog, der irre Mesner.

»Weg!« sagte ich zu mir, »weg von diesen zwinkernden Madonnen, die von gemeinen Soldaten entehrt worden sind.«

Der Brief

Dies ist der Brief nach Hause, den mir Kurdjukow, der Bursche in unserer Expeditionsabteilung, diktiert hat. Er verdient es nicht, vergessen zu werden. Ich habe ihn ohne jede Ausschmückung abgeschrieben und gebe ihn wörtlich wieder, der Wahrheit gemäß.

»Liebe Mutter Jewdokja Fjodorowna. In den ersten Zeilen dieses Briefes beeile ich mich, Ihnen mitzuteilen, daß ich, Gott sei's gedankt, am Leben und gesund bin, was ich auch von Ihnen zu hören wünsche. Ebenso beuge ich vor Ihnen mein weißes Gesicht bis zur dunklen Erde…« (Es folgt die Aufzählung der Verwandten und Taufpaten. Das lasse ich weg und gehe gleich auf den zweiten Absatz über.)

»Liebe Mutter Jewdokja Fjodorowna Kurdjukowa. Ich beeile mich, Ihnen mitzuteilen, daß ich mich bei der Roten Reiterarmee des Genossen Budjonny befinde. Ebenso befindet sich hier Ihr Vetter Nikon Wassiljewitsch, der zur Zeit ein Roter Held ist. Sie haben mich zu sich geholt, in die Expedition der Politischen Abteilung. Wir verteilen Literatur und Zeitungen an der Front, die Moskauer ›Iswestja‹, die Moskauer ›Prawda‹ und unsere grausame Zeitung ›Der Rote Kavallerist‹, die jeder Kämpfer der Ersten Linie zu lesen wünscht, wonach er die schurkischen Feinde heldenhaft abschlachtet, und ich lebe bei Nikon Wassiljewitsch ausgezeichnet.

Liebe Mutter Jewdokja Fjodorowna. Schicken Sie mir, was Sie nur können, was in Ihrer Macht steht und was nur möglich ist. Bitte schlachten Sie das gefleckte Schwein und schicken Sie mir das Paket an die Politische Abteilung des Genossen Budjonny, auf den Namen Wassilj Kurdjukow.

Jeden Abend lege ich mich ohne Essen und ohne Decke nieder, so daß es mir sehr kalt ist. Schreiben Sie mir einen Brief über Stjopa, ob er lebt oder nicht, ich bitte Sie, geben Sie acht auf ihn und schreiben Sie mir über ihn, ob er noch immer so zuckt oder ob er damit aufgehört hat, und ebenso, was das Jucken in den Vorderbeinen betrifft und ob Sie ihn haben beschlagen lassen oder nicht. Ich bitte Sie, liebe Mutter Jewdokja Fjodorowna, waschen Sie ihm auf jeden Fall die Vorderbeine mit der Seife, die ich hinter der Ikone versteckt habe, und wenn Papachen diese Seife verbraucht hat, dann kaufen Sie welche in Krasnodar, und Gott wird Sie nicht vergessen. Ebenso kann ich Ihnen schreiben, daß der Boden hier sehr arm ist, die Bauern verstecken sich mit ihren Pferden vor unseren Roten Adlern in den Wäldern, Weizen gibt es wenig, und der ist ganz winzig, wir lachen darüber. Die Bauern säen Roggen und Buchweizen; hier wächst der Hopfen an Stangen hinauf, so daß er ganz gerade in die Höhe schießt; daraus brennt man Schnaps.

In den übrigen Zeilen dieses Briefes beeile ich mich, Ihnen von Papachen zu schreiben, daß er den Bruder Fjodor Timofejitsch Kurdjukow vor einem Jahr totgeschlagen hat. Unsere Rote Brigade des Genossen Pawlitschenko stieß gegen die Stadt Rostow vor, als es in unseren Reihen zum Verrat kam, und Papachen war zu dieser Zeit bei Denikin Kommandant einer Einheit. Die Leute, die ihn gesehen haben, sagten, daß Papachen Medaillen auf seiner Brust getragen hat wie zur Zeit des alten Regimes. Und wegen dieses Verrats hat man uns alle gefangengenommen, und der Bruder Fjodor Timofejitsch geriet in Papachens Hände. Und Papachen begann Fedja zu schlachten und dabei zu sprechen – du Scheusal, du roter Hund, du Hundesohn, und Papachen hat auf ihn eingeschlagen, bis es dunkel wurde und Bruder Fjodor Timofejitsch seine Seele ausgehaucht hat. Ich habe Ihnen damals einen Brief geschrieben, wie Fedja ohne Kreuz in der Erde liegt. Aber Papachen hat mich mit dem Brief erwischt und hat mir gesagt, ihr seid nach eurer Mutter geraten, ihr seid eine Hurenbrut. Ich habe eure Mutter geschwängert und werde sie immer wieder schwängern, mein Leben ist zugrunde gerichtet, aber ich werde um der Gerechtigkeit willen meinen eigenen Samen vernichten, und viele ähnliche Sachen. Ich habe unter Papachen gelitten wie der Erlöser Jesus Christus. Erst vor einiger Zeit bin ich Papachen davongelaufen und habe mich der Einheit des Genossen Pawlitschenko angeschlossen. Und unsere Brigade hat den Befehl bekommen, zur Auffüllung nach Woronesch zu gehen, und dort haben wir Ersatz bekommen und ebenso Pferde, Tornister, Pistolen und alles, was uns zustand. Von Woronesch kann ich Ihnen mitteilen, liebe Mutter Jewdokja Fjodorowna, daß es ein ausgezeichnetes Städtchen ist, es dürfte größer sein als Krasnodar, die Menschen darin sind sehr schön, und in dem Flüßchen kann man baden. Man hat uns täglich zwei Pfund Brot gegeben, ein halbes Pfund Fleisch und Zucker, soviel wir brauchten, so daß wir zum Frühstück süßen Tee tranken und ebenso abends, und wir vergaßen den Hunger, und zum Mittagessen ging ich zum Bruder Semjon Timofejitsch, zu Omeletten und Gänsefleisch, und nachher legte ich mich nieder, um auszuruhen. Zu dieser Zeit wollte das ganze Regiment, daß Semjon Timofejitsch Kommandant werden sollte, und vom Genossen Budjonny war auch ein solcher Befehl gekommen, und er bekam zwei Pferde, herrliche Kleidung, einen separaten Wagen für seine Sachen und den Orden vom Roten Banner, und von mir wußten alle, daß ich sein Bruder bin. Wenn jetzt ein Nachbar anfängt, Sie zu beleidigen, kann Semjon Timofejitsch ihn im Nu abschlachten. Darauf begannen wir, General Denikin zu jagen, wir schlachteten sie zu Tausenden ab und trieben sie ins Schwarze Meer, nur Papachen konnten wir nirgends sehen, und Semjon Timofejitsch suchte ihn an allen Fronten, weil er sehr in Trauer um den Bruder Fedja war. Aber Sie, liebe Mutter, wie Sie Papachen und seinen hartnäckigen Charakter kennen, müssen wissen, was er getan hat. Er hat seinen roten Bart frech schwarz gefärbt und befand sich in Zivilkleidern in der Stadt Maikop, so daß niemand unter den Einwohnern gewußt hat, wer er war, nämlich ein Wachtmeister des alten Regimes. Aber die Wahrheit kommt immer heraus; Ihr Vetter Nikon Wassilitsch entdeckte ihn zufällig im Haus eines Einwohners und schrieb Semjon Timofejitsch einen Brief. Wir stiegen auf unsere Pferde und rasten zweihundert Werst, ich, Bruder Senjka und die Burschen aus dem Dorf, die dabei sein wollten.

Und was haben wir in der Stadt Maikop gesehen? Wir haben gesehen, daß das Hinterland gar nicht mit der Front fühlt, daß es dort überall Verrat gibt und viele Juden, wie unter dem alten Regime. Und Semjon Timofejitsch hat in der Stadt Maikop viel mit den Juden gestritten, weil sie ihm

Papachen nicht ausliefern wollten, sondern in ein Gefängnis gesteckt haben und gesagt haben, daß ein Befehl vom Genossen Trotzki gekommen ist, man soll die Gefangenen nicht mehr abschlachten, wir werden sie schon richten; ihr dürft nicht böse sein, er wird schon sein Teil bekommen. Aber Semjon Timofejitsch blieb dabei und erklärte, daß er der Regimentskommandant ist, daß er vom Genossen Budjonny alle Orden vom Roten Banner hat, und drohte ihnen, daß er alle abschlachten würde, die mit ihm wegen Papachens Person stritten und ihn nicht ausliefern wollten, und ebenso drohten auch die Burschen aus unserem Dorf. Aber Semjon Timofejitsch bekam Papachen doch und begann Papachen mit einer Karbatsche zu schlagen, und ließ alle Kämpfer im Hof antreten, wie es die Militärordnung vorschreibt. Und dann schüttete Senjka Papachen Timofej Rodionitsch Wasser auf den Bart, und vom Bart floß die Farbe herunter. Und Senjka fragte Timofej Rodionitsch:

›Fühlen Sie sich wohl, Papachen, in meinen Händen?‹

›Nein‹, sagte Papachen, ›ich fühle mich schlecht.‹

Dann fragte Senjka: ›Und hat sich Fedja, als Sie ihn geschlachtet haben, in Ihren Händen wohl gefühlt?‹

›Nein‹, sagte Papachen. ›Fedja ist es schlecht gegangen.‹

Und dann fragte Senjka:

›Und haben Sie, Papachen, daran gedacht, daß es Ihnen auch einmal schlecht gehen wird?‹

›Nein‹, sagte Papachen, ›ich habe nicht daran gedacht, daß es mir schlecht gehen wird.‹

Dann drehte sich Senjka zum Volk und sagte:

›Und ich denke gerade, daß ihr mich nicht verschonen würdet, sollte ich euch in die Hände fallen. Und jetzt werden wir Sie, Papachen, erledigen.‹

Und Timofej Rodionitsch begann, gemein zu fluchen, auf Senjkas Mutter und auf die Mutter Gottes, und begann Senjka aufs Maul zu schlagen, und Semjon Timofejitsch hat mich aus dem Hof entfernt, so daß ich Ihnen nicht beschreiben kann, liebe Mutter Jewdokja Fjodorowna, wie man Papachen erledigt hat, weil man mich aus dem Hof entfernt hat.

Darauf bezogen wir Garnison in der Stadt Noworossijsk. Über diese Stadt kann man sagen, daß es hinter ihr kein

Land mehr gibt, sondern nur Wasser, das Schwarze Meer, und wir blieben dort fast bis Mai, und dann gingen wir an die polnische Front, und hier schlagen wir die Schlachtschitzen, wo wir sie erwischen.

Ich verbleibe Ihr lieber Sohn Wassilj Timofejitsch Kurdjukow. Mutter, geben Sie acht auf Stjopka, und der liebe Gott wird Sie nicht vergessen.«

Das ist Kurdjukows originalgetreuer Brief nach Hause. Als ich die Niederschrift beendet hatte, nahm er die beschriebenen Blätter und versteckte sie unter seinem Arm an seinem Körper.

»Kurdjukow«, fragte ich den Burschen. »War dein Vater ein böser Mensch?«

»Der Vater war ein Hund«, antwortete er finster.

»Und die Mutter? War sie besser?«

»Die Mutter ist, wie sie sein soll. Wenn du willst, hier ist unsere Familie.«

Er reichte mir eine zerdrückte Fotografie. Darauf war Timofej Kurdjukow zu sehen, ein breitschultriger Wachtmeister mit Soldatenmütze, einem auseinandergekämmten Bart, steif, mit vorstehenden Backenknochen; der Blick seiner farblosen und stumpfen Augen war glasig. Neben ihm saß in einem Stuhl aus Bambusrohr ängstlich die winzige Bäuerin in einer losen Bluse, mit eingefallenem, bleichem, scheuem Gesicht. Und vor dem Paravent dieses elenden Provinzateliers mit seinen Blumen und Tauben ragten zwei Burschen auf, riesengroß, stumpf, mit breiten Gesichtern und hervorquellenden Augen, erstarrt wie in Habtachtstellung, die zwei Brüder Kurdjukow, Fjodor und Semjon.

Der Kommandeur der Kavalleriereserve

Geschrei und Gejammer erhob sich im Dorf. Die Kavallerie plünderte den Weizen und vertauschte die Pferde. Im Austausch gegen ihre ausgemergelten Mähren nahmen sich die Kavalleristen Zugpferde. Da half nichts. Ohne Pferde keine Armee.

Diese Erkenntnis machte es aber den Bauern nicht leichter. Sie drängten sich unaufhörlich um das Stabsgebäude. Mit sich, an Stricken, schleppten sie störrische Pferde, die vor Erschöpfung beinahe zusammenbrachen. Ihrer Ernährer beraubt, eilten die Bauern hin und schrien in einer Aufwallung von Verbitterung und Mut, der – wie sie wußten – nicht lange anhalten würde, hoffnungslos ihre Verwünschungen gegen die Obrigkeit, den Himmel und ihr eigenes elendes Los.

Der Stabskommandant Sch. stand in Paradeuniform auf der Freitreppe des Gebäudes. Mit gesenkten, entzündeten Lidern, offenbar teilnehmend, hörte er sich die Klagen der Bauern an. Aber diese augenscheinliche Anteilnahme war nur ein Trick von ihm. Wie jeder erfahrene und überanstrengte Arbeiter verstand er es, in Augenblicken der Muße jede Gehirntätigkeit auszuschalten. In diesen wenigen Augenblicken kuhseligen Nichtstuns legte unser Stabskommandant seinen strapazierten Gehirnmechanismus still.

So auch diesmal vor den Bauern.

Während ihres verzweifelten und sinnlosen Geschreis pflegte Sch. auf ein gewisses sanftes Brodeln in seinem Gehirn zu warten. Es kündigte ihm an, daß sein Denken Klarheit und Energie zurückzugewinnen begann. Wenn die Pause abgelaufen war, sah er gewöhnlich gerade noch die letzte Bauernträne, schrie etwas Befehlshaberisches und ging in den Stab, an die Arbeit.

Diesmal kam er aber nicht dazu, die Leute anzuschnauzen. Auf seinem feurigen Pferd englisch-arabischer Herkunft kam Djakow geritten. Er war ein früherer Zirkusathlet und jetzt Kommandeur der Kavalleriereserve. Er hatte ein rotes Gesicht, einen grauen Schnurrbart, einen schwarzen Mantel und silberne Streifen an seinen roten Hosen.

»Allen ehrlichen Gäulen den Segen des Abtes!« brüllte er herangaloppierend und wollte vom Pferd springen. In diesem Augenblick fiel ihm eine Schindmähre vor den Steigbügel, eine von jenen, welche die Kosaken ausgetauscht hatten.

»Da, schau, Genosse Kommandeur!« jammerte ein Bauer und schlug sich auf die Hosen. »Schau nur, was ihr uns da gegeben habt! Da siehst du es! Versuch nur, diesen Gaul einzuspannen!«

»Für dieses Pferd«, sagte Djakow deutlich und bedeutsam, »für dieses Pferd, verehrter Freund, könntest du von der Kavalleriereserve mit vollem Recht fünfzehntausend Rubel verlangen. Und wenn das Pferd noch ein bißchen lustiger wäre – in diesem Fall, lieber Freund, könntest du von der Kavalleriereserve sogar zwanzigtausend Rubel verlangen. Das Pferd ist zwar gestürzt, aber das hat nichts zu bedeuten. Wenn ein Pferd stürzt und wieder aufsteht, ist es immer noch ein Pferd. Wenn es dagegen nicht aufsteht, ist es kein Pferd mehr. Aber diese hübsche Stute wird bei mir schon aufstehen.«

»O Gott, o gnadenreiche Mutter Gottes!« jammerte der Bauer und fuchtelte mit den Armen. »Wie soll sich die Arme erheben? Sie wird eingehen, die Arme...«

»Du beleidigst das Pferd, lieber Freund«, erwiderte ihm Djakow tief überzeugt. »Deine Worte sind gotteslästerlich, mein Lieber.« Und er schwang geschickt seinen athletischen Körper aus dem Sattel. Er streckte seine prächtigen Beine, die an den Knien mit Riemen umwickelt waren, und begab sich, elegant und geschickt wie auf einer Bühne, zu dem Tier, das am Verenden war. Die Stute richtete sehnsüchtig ihre großen, tiefen Augen auf Djakow. Von Djakows himbeerfarbener Handfläche ging etwas aus wie ein stummer Befehl, und das erschöpfte Pferd verspürte im selben Augenblick die selbstbewußte Kraft, die von diesem ergrauten, blühenden und jünglingshaften Romeo ausging. Unter dem ungeduldigen und befehlenden Kitzeln der Peitsche an ihrem Bauch erhob sich die Stute schnuppernd und stolpernd auf ihre schwachen Beine. Und wir sahen alle, wie die dünne Peitsche die schmutzige Mähne streichelte und dann pfeifend um die blutigen Flanken fuhr. Am ganzen Körper zitternd, stand die Mähre auf allen vieren und wandte ihren furchtsamen und verliebten Hundeblick nicht von Djakow.

»Du siehst, es ist ein Pferd!« sagte Djakow zu dem Bauern und fügte sanft hinzu: »Und du hast dich beklagt, lieber Freund…«

Der Kommandeur der Kavalleriereserve warf der Ordonnanz die Zügel zu, nahm mit einem Sprung vier Stufen, ließ seinen Opernmantel flattern und verschwand im Stabsgebäude.

Pan Apolek

Das wunderliche und weise Leben des Pan Apolek machte mich trunken wie alter Wein. Inmitten der stillen Ruinen von Nowograd-Wolynsk, der Stadt, die wir im Sturm erobert hatten, warf mir das Schicksal ein Evangelium vor die Füße, das der Welt verborgen war. Im Heiligenschein der Einfalt gelobte ich mir damals, dem Beispiel des Pan Apolek zu folgen. Alles wollte ich diesem neuen Gelübde opfern: die süßen Träume meines Hasses, die bittere Verachtung der Hunde und Schweine unter den Menschen und das Feuer der verschwiegenen und berauschenden Rache.

Im Haus des geflüchteten Priesters von Nowograd hing hoch an der Wand ein Heiligenbild. Darüber war die Inschrift zu lesen: »Der Tod des Täufers«. Sogleich erkannte ich im Bildnis des Johannes das Gesicht eines Mannes, den ich schon gesehen hatte.

Ich erinnere mich: Zwischen den geraden und hellen Wänden herrschte die spinnwebenartige Stille des Sommermorgens. Die Sonne warf ihre Strahlen auf den unteren Teil des Bildes. Glänzende Staubkörnchen schwärmten in ihnen. Aus den blauen Tiefen der Nische schritt die hohe Gestalt des Johannes gerade zu mir herunter. Der schwarze Mantel hing feierlich um diesen asketischen Körper, der abstoßend mager war. Blutstropfen leuchteten auf den runden Schnallen des Mantels. Der Kopf des Johannes war schräg vom Hals abgehauen. Er lag auf einem irdenen Teller, den die großen gelben Finger eines Kriegers umfaßten. Und dieses Gesicht kannte ich. Die Vorahnung des Geheimnisses rührte mich an. Auf dem Teller lag ein Kopf, für den Pan Romuald, der Gehilfe des geflüchteten Priesters, als Modell gedient hatte. Aus seinem offenen Mund kroch ein winziger Schlangenkörper, dessen Haut in vielen Farben glänzte. Sein lebhaftes zartrosa Köpfchen hob sich kräftig von dem dunklen Hintergrund des Mantels ab.

Ich wunderte mich über die Kunst des Malers, über seine düstere Phantasie. Um so erstaunlicher schien mir am nächsten Tag ein Bild der Muttergottes mit rosa Wangen, das über dem Bett der Frau Elisa hing, jener Haushälterin des alten Pfarrers. Beide Bilder stammten von demselben Pinsel. Das fleischige Gesicht der Muttergottes war ein Porträt der Frau Elisa. Und da kam ich dem Geheimnis um die Heiligenbilder von Nowograd nahe; die Lösung des Rätsels führte mich in die Küche der Frau Elisa, in der sich an duftenden Abenden die Schatten des alten versklavten Polen versammelten, unter dem Vorsitz eines verrückten Malers. War er verrückt, dieser Pan Apolek, der die Dörfer in der Umgebung mit Engeln bevölkert und den hinkenden getauften Juden Janek zum Heiligen erhoben hatte?

An einem nebligen Sommertag vor dreißig Jahren war er mit dem blinden Gottfried hierhergekommen. Die beiden Freunde, Apolek und Gottfried, betraten Schmerels Herberge, die zwei Werst von der Stadtgrenze an der Straße nach Rowno lag. In der Rechten trug Apolek einen Farbkasten, und mit der Linken führte er den blinden Harmonikaspieler. Das fröhliche Trappeln ihrer deutschen Nagelschuhe verhieß Freude und Hoffnung. Um Apoleks dünnen Hals hing ein kanariengelber Schal, und drei schokoladebraune Federn flatterten auf dem Tirolerhut des Blinden.

Die Ankömmlinge stellten den Farbkasten und die Harmonika auf das Fensterbrett. Der Maler wickelte seinen Schal auf, der endlos schien, wie das Band eines Zauberkünstlers auf dem Jahrmarkt. Dann ging er hinaus in den Hof, zog sich aus bis zum Gürtel und begoß seinen rötlichen, schmalen, eingefallenen Körper mit kaltem Wasser.

Schmerels Frau brachte den Gästen Rosinenschnaps und eine Schüssel voll duftenden Zrazy. Als er sich satt gegessen hatte, stellte Gottfried die Harmonika auf seine spitzen Knie. Er seufzte, warf den Kopf zurück und begann, seine mageren Finger auf und nieder zu bewegen. Alte Lieder aus Heidelberg hallten zwischen den rußigen Wänden der jüdischen Herberge.

Apolek begleitete den Blinden mit zitternder Stimme. Es war, als hätten sie die Orgel aus der Kirche der heiligen Indegilde zu Schmerel gebracht und als säßen an dieser Orgel zwei Musen in bunten, wattierten Schals und in deutschen Nagelschuhen.

Die Gäste sangen bis zum Sonnenuntergang. Dann packten sie die Harmonika und die Farben in Leinensäcke, und Pan Apolek überreichte, sich tief verbeugend, der Wirtin Brajna einen Bogen Papier.

»Gnädige Frau Brajna«, sagte er, »nehmen Sie von einem wandernden Künstler, der auf den christlichen Namen Apollinarius getauft worden ist, dieses Ihr Porträt als Zeichen unserer ergebenen Ehrerbietung und als Dank für Ihre großartige Gastfreundschaft. Wenn der Herr Jesus mir ein langes Leben beschert und meiner Kunst Kraft gibt, werde ich zurückkehren und Ihr Porträt in Ölfarben ausführen. Für Ihr Haar werden Perlen gut passen, und über Ihre Brust werde ich eine Kette aus Smaragden legen.«

Auf das kleine Blatt Papier war mit weichem Rötelstift das von kupferfarbenen Locken umrahmte lächelnde Gesicht der Frau Brajna gezeichnet.

»Mein Geld?!« schrie Schmerel, als er das Porträt seiner Frau erblickte. Er griff nach dem Stock und lief den Gästen nach. Aber unterwegs fiel Schmerel der von Wasser übergossene rosige Körper des Apolek ein, und die Sonne in seinem Hof und die leise Musik der Harmonika. Der Wirt verlor seine Sicherheit, warf den Stock weg und ging wieder nach Hause.

Am nächsten Morgen meldete sich Apolek beim Priester von Nowograd, zeigte ihm sein Diplom der Münchner Akademie und breitete zwölf Bilder mit biblischen Themen vor ihm aus. Die Bilder waren mit Öl auf dünne Zypressenblätter gemalt. Auf dem Tisch leuchtete es vom Purpur der Mäntel, von den smaragdenen Feldern und von den Blumenteppichen auf Palästinas Fluren.

Die Heiligen des Pan Apolek waren eine ganze Galerie von strahlenden, einfältigen Greisen mit weißen Bärten und roten Wangen, hineingestellt in eine Flut von Seide und mächtigen Abendrots.

Am selben Tag erhielt Apolek den Auftrag, die neue Kirche zu schmücken. Der Priester segnete den Künstler und sagte zu ihm: »Sancta Maria, lieber Pan Apollinarius, in welchen verzauberten Sphären haben Sie diese hohe Gabe empfangen?«

Apolek arbeitete fleißig, und nach einem Monat schon war die neue Kirche erfüllt vom Geblök der Schafe, vom Goldstaub der Sonnenuntergänge und von blaßgelben Kühen. Büffel mit zottigem Fell schleppten das Joch, Hunde mit rosa Schnauzen liefen vor den Herden her, und in Wiegen, die von schlanken Palmen hingen, schaukelten pausbäckige Kinder. Braune Franziskanerkutten neigten sich über die Wiegen. In der Gruppe der Propheten glänzten Glatzköpfe und Falten, die blutrot waren wie Wunden. Inmitten dieser Gruppen konnte man das listig lächelnde kleine alte Gesicht Leos des Dreizehnten entdecken und den Priester von Nowograd, wie er in der einen Hand einen geschnitzten chinesischen Rosenkranz hielt und mit der freien Hand das neugeborene Jesuskind segnete.

Fünf Monate lang kletterte Pan Apolek, in eine Art Holzkäfig eingeschlossen, die Wände entlang, die Kuppel hinauf und über den Chor.

»Sie haben eine Schwäche für die Leute, die Sie kennen, lieber Pan Apolek«, sagte einmal der Priester, als er sich selbst als Weisen aus dem Morgenland erkannte und Pan Romuald in dem abgehauenen Kopf des Täufers. Der alte Pater lächelte und schickte dem Künstler, der gerade unter der Kuppel arbeitete, einen Krug Kognak hinauf.

Dann vollendete Apolek das Heilige Abendmahl und die Steinigung der Maria Magdalena. Eines Sonntags enthüllte er die von ihm geschmückten Wände. Die Honoratioren, die der Pfarrer eingeladen hatte, erkannten in dem Apostel Paulus den hinkenden Konvertiten Janek, und in Maria Magdalena die Jüdin Elka, Tochter unbekannter Eltern und selbst ledige Mutter vieler Kinder. Die Honoratioren forderten, man solle diese gotteslästerlichen Bilder verdecken. Der Pfarrer überschüttete die Lästerer mit Vorwürfen. Aber Pan Apolek übermalte die geschmückten Wände nicht.

So begann ein sonderbarer Krieg zwischen der allmächtigen katholischen Kirche und dem selbstbewußten Urheber der Heiligenbilder. Dieser Krieg währte drei Jahrzehnte und war hartnäckig wie die Leidenschaft der Jesuiten. Beinahe wäre der fromme Vagant zum Begründer einer neuen ketzerischen Sekte geworden. In diesem Falle wäre er wohl der absonderlichste und kurioseste unter allen Aufrührern gewesen, die die vielverschlungene und von Rebellionen immer wieder erschütterte Geschichte der katholischen Kirche gekannt hat; er, der in seliger Trunkenheit mit zwei weißen Mäusen und einer Garnitur der feinsten Pinsel in der Tasche durch die Welt wanderte.

»Fünfzehn Zloty für die Muttergottes, fünfundzwanzig Zloty für die Heilige Dreifaltigkeit, und fünfzig Zloty für das Heilige Abendmahl mit den Porträts aller Verwandten des Auftraggebers. Der Feind des Auftraggebers kann in der Gestalt des Judas Ischariot dargestellt werden, was zehn Zloty zusätzlich kostet.« So verkündete Apolek den Bauern in der Umgebung, nachdem er aus der Kirche, die er geschmückt hatte, verjagt worden war.

Er hatte keinen Mangel an Aufträgen. Auf die verzweifelten Briefe des Pfarrers von Nowograd hin sandte der Bischof von Schitomir ein Jahr danach eine Kommission, die selbst in den elendsten und stinkendsten Hütten jene monströsen, lästerlichen und naiven Familienporträts vorfand, die so bunt waren wie Blumen in einem tropischen Garten. Grauhaarige Josefs mit Mittelscheitel, pomadisierte Christusgestalten, bäuerliche Marien mit gegrätschten Beinen, Mütter zahlreicher Kinder, hingen in den Ecken, die für Heiligenbilder bestimmt und mit Kränzen aus Papierblumen geschmückt waren.

»Er hat schon zu euren Lebzeiten Heilige aus euch gemacht!« rief der Vikar von Dubno und Nowokonstantinow der Menge zu, die Apolek verteidigen wollte. »Er hat euch mit den unerreichbaren Tugenden der Heiligen ausgestattet, euch, die ihr dreifach der Sünde des Ungehorsams verfallen seid, ihr geheimen Schnapsbrenner, ihr unbarmherzigen Wucherer und Gewichtsfälscher, ihr Schacherer mit der Unschuld eurer eigenen Töchter!«

»Euer Heiligkeit«, sagte darauf der lahme Vitold, Hehler und Friedhofswärter, »wer kann dem Volk, das in Finsternis lebt, schon sagen, worin der allergütigste Herrgott die Wahrheit sieht? Ist denn nicht mehr Wahrheit in den Bildern des Pan Apolek, der unserem Stolz wohlgetan hat, als in Euren Worten, die voller Kränkungen sind und voll Herrenzorn?«

Die Proteste der Menge schlugen den Vikar in die Flucht. Aufrührerische Geister in den Dörfern der Umgebung bedrohten die Sicherheit des Klerus. Der Künstler, der an Stelle Pan Apoleks berufen wurde, traute sich nicht, Elka und den hinkenden Janek zu übermalen. Man kann sie heute noch am Seitenaltar der Kirche von Nowograd sehen: Janek als Apostel Paulus, hinkend und verstört, mit dem zerzausten schwarzen Bart eines dörflichen Ketzers, und Elka als die Sünderin aus Magdala, verfallen und irr, mit dem Körper einer Tänzerin und hohlen Wangen.

Der Kampf mit dem Geistlichen also währte drei Jahrzehnte. Dann vertrieb die Kosakenflut den alten Mönch aus seinem steinernen zerfallenen Nest, und Pan Apolek – o Willkür des Schicksals! – zog in die Küche der Frau Elisa ein. Und so trank ich, ein flüchtiger Gast, abends den Wein seiner Rede. Wovon war die Rede? Vom romantischen Zeitalter der Schlachtschitzen, vom irren Weiberfanatismus, von dem Künstler Luca della Robbia und von der Familie des Zimmermanns aus Bethlehem.

»Ich habe Ihnen etwas zu erzählen, Pan Schreiber«, sagte Apolek an diesem Abend geheimnisvoll.

»Ja«, antwortete ich, »ja, Apolek, ich höre.«

Aber der Mesner, Pan Robacki, grob, rothaarig, knochig und mit großen Ohren, saß uns zu nahe. Er breitete die kalten Linnen feindseligen Schweigens aus.

»Ich muß Ihnen sagen, Pan...«, flüsterte Apolek und führte mich zur Seite, »daß Jesus, Sohn der Maria, mit Deborah, einem armen Mädchen aus Jerusalem, verheiratet war.«

»Oh, dieser Mensch!« schrie Pan Robacki verzweifelt. »Dieser Mensch wird nicht in seinem Bett sterben. Den werden die Leute noch erschlagen!«

»Nach dem Abendessen«, murmelte Apolek leise, »nach dem Abendessen, wenn es dem Pan Schreiber recht ist...«

Mir war es recht. Der Anfang von Apoleks Geschichte hatte mein verwundertes Interesse geweckt; ich ging in der Küche hin und her und erwartete die versprochene Fortsetzung. Die Nacht draußen war wie eine schwarze Säule. Der lebhafte, dunkle Garten war erfroren. Wie eine milchweiß leuchtende Flut zog sich im Mondlicht der Weg zur Kirche hin. Auf der Erde lag ein trüber Glanz, und von den Büschen hingen Früchte wie blitzende Ketten. Der Duft der Lilien war rein und kräftig wie Spiritus. Dieses erfrischende Gift vermischte sich mit dem fettigen, unruhigen Hauch des Herdes und tötete den Harzgeruch der Tannenzweige, die über den Küchenboden verstreut waren.

In seiner zerschlissenen rosa Hose und mit einer rosa Krawatte angetan, machte sich Apolek in seiner Ecke breit wie ein gutmütiges und graziöses Tier. Sein Tisch war von Kleister und Farben verschmiert. Der Greis arbeitete mit vielen winzigen Bewegungen. Aus seiner Ecke drang ein leises melodisches Summen; mit zitternden Fingern brachte es der alte Gottfried hervor. Der Blinde saß unbeweglich im gelben öligen Licht der Lampe. Mit gebeugtem Glatzkopf lauschte er der endlosen Musik seiner Blindheit und dem Murmeln seines ewigen Freundes Apolek.

»...Was dem Pan die Popen und die Evangelisten Markus und Matthäus erzählen, ist alles nicht wahr. Ich aber kann dem Pan Schreiber die Wahrheit enthüllen – ich bin auch gern bereit, ihn für fünfzig Zloty zu porträtieren, als heiligen Franziskus, vor einem grünen Himmel. Er war ein ganz einfacher Heiliger, der Pan Franziskus... Und wenn der Pan Schreiber in Rußland eine Braut haben..., die Frauen lieben den heiligen Franz von Assisi, wenn auch nicht alle Frauen, Pan...«

So begann in der Ecke, die nach Tannenzweigen duftete, Apoleks Geschichte von der Ehe Jesu mit Deborah. Nach Apoleks Worten hatte dieses Mädchen einen Bräutigam gehabt. Ihr Bräutigam war ein junger Israelit gewesen, der mit

Elefantenzähnen handelte. Aber Deborahs Hochzeitsnacht endete mit Zwist und Tränen. Die Frau bekam Angst, als sie sah, wie ihr Mann sich ihrem Bett näherte. Ein unerträglicher Schluckauf stieg ihr in den Hals, und sie erbrach alles, was sie an der Hochzeitstafel gegessen hatte. Schande kam über Deborah, ihren Vater, ihre Mutter und ihre ganze Verwandtschaft. Der Bräutigam verließ sie, verspottete sie und holte alle Gäste zusammen. Da sah Jesus die unendliche Trauer der Frau, die nach ihrem Mann verlangte und zugleich Angst vor ihm hatte, verwandelte sich in den Bräutigam und vereinigte sich voll Mitleid mit Deborah, die in ihrem Erbrochenen lag. Danach aber trat sie vor die Gäste, triumphierend und listig um sich blickend, wie eine Frau, die stolz ist auf ihren Fall. Und Jesus stand beiseite, Todesschweiß bedeckte seinen Körper, und die Biene der Trauer stach ihn ins Herz. Unbemerkt verließ er den Festsaal und ging in die Wüste östlich von Judäa, wo Johannes auf ihn wartete. Und Deborah gebar einen Sohn…«

»Was?« rief ich lachend und zugleich schaudernd.

»Die Pfaffen haben ihn versteckt«, sagte Apolek wichtig und führte seinen dünnen Finger an die Trinkernase.

»Pan Künstler!« rief plötzlich Robacki, trat aus dem Dunkel, und seine grauen Ohren bewegten sich. »Was sagen Sie dazu? Was für ein Unsinn…«

»Es ist aber so«, widersprach Apolek und griff nach Gottfrieds Hand. »So ist es, Pan!«

Er zog den Blinden zur Tür, blieb aber auf der Schwelle stehen und winkte mich mit dem Finger heran.

»Der heilige Franziskus«, flüsterte er und zwinkerte, »mit einem Vogel auf dem Ärmel, einer Taube oder einem Stieglitz – wie Pan Schreiber wünschen.«

Und er verschwand mit seinem blinden, ewigen Freund.

»Wahnsinn!« sagte danach Pan Robacki, der Mesner. »Dieser Mensch wird nicht in seinem Bett sterben.« Pan Robacki riß seinen Mund auf und gähnte wie eine Katze. Ich verabschiedete mich und ging nach Hause zu meinen ausgeplünderten Juden, um zu schlafen.

Durch die Stadt wanderte der heimatlose Mond. Ich ging zusammen mit ihm, voll unerfüllter Träume und mißtönender Lieder.

Die Sonne Italiens

Gestern saß ich wieder im Gesindezimmer bei Frau Elisa, unter dem erhitzten Kranz aus grünen Tannenzweigen. Ich saß neben dem warmen, lebhaft puffenden Herd und kehrte erst spät nachts in mein Quartier zurück. Drunten in der Schlucht rollten stumm die glasigen dunklen Wellen des Zbrutsch dahin. Meine Seele, erfüllt von müdem, quälendem Katzenjammer, lächelte ins Unbekannte, und die Phantasie, die glückliche blinde Frau, wogte um mich her gleich einem Julinebel.

Die verbrannte Stadt – geborstene Säulen und Mauerhaken, in die Erde gewühlt wie die krampfigen Finger böser Greisinnen – schien in die Luft erhoben zu sein, leicht und unwirklich wie ein Traum. Das nackte Mondlicht strömte mit unerschöpflicher Kraft hernieder. Der feuchte Schimmel der Ruinen blühte wie der Marmor der Opernbänke. Und ich erwartete mit erregtem Herzen, daß in den Wolken Romeo erscheine, in Atlas gekleidet, und von der Liebe singe, während hinter den Kulissen ein gelangweilter Elektriker den Finger auf den Schalter legte, um das Mondlicht abzudrehen.

Bläuliche Wege strichen an mir vorbei wie Milchströme, die aus zahllosen Brüsten gequollen waren. Auf dem Heimweg fürchtete ich mich vor einer Begegnung mit Sidorow, meinem Nachbarn, der in den Nächten die knochige Hand seiner Trauer auf mich legte. Zum Glück sprach Sidorow in dieser vom milchigen Mondlicht zerrissenen Nacht kein Wort. Er schrieb, von Büchern umgeben. Auf dem Tisch qualmte eine bucklige Kerze, unheilkündender Scheiterhaufen der Träume. Ich saß beiseite, döste, und Träume umsprangen mich wie Katzen. Erst spät nachts weckte mich die Ordonnanz, die Sidorow in den Stab rief. Sie gingen zusammen weg. Ich lief zu dem Tisch, an dem Sidorow geschrieben hatte, und blätterte in seinen Büchern. Es gab da ein Lehrbuch der italienischen Sprache, das Bild des Forum Romanum und einen Stadtplan von Rom. Der Plan war übersät mit Kreuzchen und Punkten. Ich beugte mich über das beschriebene Blatt und las mit erstorbenem Herzen und zitternden Händen den fremden Brief. Sidorow, der sentimentale Mörder, riß die rosa Watte meiner Phantasie in kleine Stücke und schleppte mich in die Keller seines intelligenten Wahnsinns. Der Brief lag aufgeschlagen, mit verdeckter erster Seite, und ich wagte nicht, den Anfang zu suchen.

»... Sein Lungenflügel ist durchschossen, und er ist ein bißchen von Verstand gekommen, oder wie Sergej sagt: seine Birne ist angeschlagen. Allerdings wird man seinen idiotischen Verstand nie ganz los. Aber Spaß beiseite – gehen wir zur Tagesordnung über, meine liebe Viktoria...

Ich habe an dem dreimonatigen Feldzug gegen Machno teilgenommen – ein ermüdendes Gaunerstück, weiter nichts... Wolin ist immer noch bei ihm. Wolin maskiert sich als Apostel und schlängelt sich langsam vom Anarchismus zum Leninismus hinüber. Schrecklich. Und der alte Machno hört ihm zu, streichelt den staubigen Draht seiner Locken und läßt die Schlange seines Bauernlächelns durch seine faulen Zähne schlüpfen. Und jetzt weiß ich nicht mehr, ob in alldem noch ein unverfälschtes Körnchen Anarchie steckt und ob wir Euch noch Eure glücklichen Nasen wischen werden, Euch selbsternannten Mitgliedern des sogenannten Zentralkomitees, made in Charkow, der sogenannten Hauptstadt. Eure zerlumpten Burschen erinnern sich ungern an ihre anarchistische Jugend und verspotten uns von der hohen Warte ihrer staatsmännischen Weisheit – der Teufel soll sie holen...

Und dann kam ich nach Moskau. Wie bin ich nur dort gelandet? Die Burschen hatten jemandem Unrecht getan, in Requisitions- und anderen Angelegenheiten, und ich Rotznase trat für ihn ein. Sie zerrupften mich, und sie hatten auch allen Grund dazu. Die Wunde war unbedeutend, aber in Moskau, ach, Viktoria, in Moskau verstummte ich vor Unglück. Jeden Tag brachten mir die Krankenschwestern meinen Grießbrei. Mit andächtiger Miene trugen sie den Brei auf einem großen Tablett, und ich begann diesen Stoßarbeiterbrei zu hassen, diese außerplanmäßige Versorgung und das ganze von Plänen regierte Moskau. Nachher kam ich im Sowjet mit einer Handvoll Anarchisten zusammen.

Sie waren entweder Grünschnäbel oder halbverrückte alte Männer. Ich drang in den Kreml vor, mit einem ernsthaften Arbeitsplan. Sie streichelten mir den Kopf und versprachen, mich zum Vizechef zu machen, wenn ich mich besserte. Ich besserte mich nicht. Und was geschah dann? Dann kam die Front, die Rote Reiterarmee und die Soldateska mit dem Geruch feuchten Bluts und menschlicher Überreste.

Retten Sie mich, Viktoria! Die staatsmännische Weisheit macht mich wahnsinnig und die Langeweile betrunken. Wenn Sie mir nicht helfen, werde ich, ohne jeglichen Plan, meine Seele aushauchen. Wer aber kann wünschen, daß ein Arbeiter so unplanmäßig stirbt? Sie doch nicht, Viktoria, Braut, die niemals Gattin sein wird. Ach, zum Teufel mit dieser Sentimentalität... Sprechen wir im Ernst. Ich langweile mich bei der Armee. Wegen meiner Wunde kann ich nicht reiten, also auch nicht am Kampf teilnehmen. Bieten Sie Ihren Einfluß auf, Viktoria. Man soll mich nach Italien schicken. Ich lerne die Sprache, und in zwei Monaten werde ich sie beherrschen. In Italien gärt es. Dort ist schon vieles bereit, nur ein paar Kugeln fehlen noch. Eine davon werde ich abschießen. Man muß den dortigen König zu seinen Ahnen schicken. Das ist sehr wichtig. Der König ist ein wunderbarer Onkel, der sich um Popularität bemüht und sich zusammen mit zahmen Sozialisten für Familienblätter fotografieren läßt.

Im Zentralkomitee und im Volkskommissariat für Auswärtige Angelegenheiten sagen Sie lieber nichts von Kugeln und Königen. Man wird sonst auch Ihnen den Kopf streicheln und murmeln: Romantik! Sagen Sie einfach: Er ist krank, verbittert, betrunken vor Trauer, er sehnt sich nach der Sonne Italiens und nach Bananen. Er hat es doch verdient. Oder hat er es vielleicht nicht verdient? Er muß sich ausheilen lassen, und damit basta. Und wenn das nicht geht, dann soll man mich zur Tscheka nach Odessa schikken. Die Leute dort wissen, was sie wollen, und...

Wie dumm, wie anmaßend und dumm ich Ihnen schreibe, liebe Viktoria...

Italien ist mir ins Herz gedrungen wie ein Wahn. Der Gedanke an dieses Land, das ich nie gesehen habe, ist so süß für mich wie der Name einer Frau, wie Ihr Name, Viktoria...«

Ich las den Brief und legte mich in mein eingebrochenes, schmutziges Bett. Aber der Schlaf kam nicht. Im Nebenzimmer weinte eine schwangere Jüdin, und ihr hochgewachsener Mann antwortete ihr mit Gemurmel. Sie erinnerten sich an die geplünderten Sachen und waren wegen des Mißgeschicks aufeinander böse. Dann, gegen Morgengrauen, kam Sidorow zurück. Die Kerze auf dem Tisch flackerte und war am Erlöschen. Sidorow zog aus seinem Stiefel einen zweiten Kerzenstumpf und erstickte damit, ungewöhnlich nachdenklich, den Docht der erlöschenden Kerze. Unser Zimmer war dunkel, und alles darin roch nach nächtlicher Feuchtigkeit; nur das Fenster, von Mondlicht überflutet, strahlte wie die Erlösung.

Mein müder Nachbar versteckte den Brief. Er saß gebückt am Tisch und öffnete das Bilderbuch der Stadt Rom. Das prächtige goldgeprägte Buch lag vor seinem ausdruckslosen olivenfarbenen Gesicht. Über seinem runden Rücken leuchteten die steilen Ruinen des Kapitols und das Kolosseum in den Strahlen des Sonnenuntergangs. Zwischen den großen glänzenden Buchseiten lag ein Bild der königlichen Familie, ein herausgerissenes Kalenderblatt. Auf ihm sah man den liebenswürdigen, schmächtigen König Viktor Emanuel mit seiner schwarzhaarigen Frau, dem Kronprinzen Umberto und einer ganzen Suite von Prinzessinnen.

...Und die Nacht war erfüllt von fernen, schweren Glockenschlägen, ein Lichtquadrat in feuchter Dunkelheit – und darin eine leblose Maske. Sidorows Totengesicht, über die gelbe Kerzenflamme gebeugt.

Gedalje

Am Vorabend des Sabbat überfällt mich immer eine schwere, traurige Erinnerung. Einst hatte an diesen Abenden mein Großvater mit seinem gelben Bart die Bände von Ibn Ezra gestreichelt. Meine Großmutter in ihrer gestickten Haube und mit ihren geschwollenen Fingern hatte über der Sabbatkerze wahrgesagt und dabei von Herzen geweint. Das Kinderherz schaukelte an diesen Abenden wie ein Schiff auf verzauberten Wellen. O vermoderte Talmudbücher meiner Kindheit, o dichte Trauer meiner Erinnerungen!

Ich irre durch Schitomir und suche den armseligen Stern. Neben der uralten Synagoge, neben ihren gelben gleichgültigen Mauern verkaufen alte Juden Kreide, Waschblau und Dochte, Juden mit Prophetenbärten, mit durchscheinenden Fetzen über der eingefallenen Brust...

Vor mir liegt der Marktplatz und sein Tod. Getötet ist die sattgefressene Seele des Überflusses. Stumme Schlösser hängen vor den Buden, und der Granit des Straßenpflasters ist blank wie ein Totenschädel. Der armselige Stern zittert und verlischt...

Das Glück kam viel später, das Glück erreichte mich erst unmittelbar vor Sonnenuntergang. Gedaljes Laden lag ganz versteckt zwischen den geschlossenen Buden. Dickens, wo war an diesem Abend dein lieblicher Schatten? Du hättest in diesem Antiquitätenladen vergoldete Hausschuhe und Schiffstaue gesehen, altmodische Kompasse, einen ausgestopften Adler, eine Winchesterbüchse mit dem eingravierten Datum 1810 und zerbrochene Töpfe.

Der alte Gedalje ging in der rosafarbenen Einsamkeit des Abends um seine Schätze herum, ein kleiner Handelsmann mit angerauchter Brille, in einem grünen Mantel, der bis zur Erde reichte. Er rieb sich die weißen Hände, zupfte an seinem grauen Bart und lauschte mit gesenktem Kopf lautlosen Stimmen, die seine Seele besuchten.

Diese Verkaufsbude war wie die Zauberschachtel eines neugierigen und ernsten Knaben, aus dem einmal ein Botanikprofessor werden wird. In diesem Laden gab es Knöpfe und tote Schmetterlinge, und sein kleiner Besitzer hieß Gedalje. Alle hatten den Marktplatz verlassen, doch Gedalje war geblieben. Und er spreizte sich in diesem Labyrinth von Globen, Totenschädeln und künstlichen Blumen, fuchtelte mit dem Wedel aus Hahnenfedern herum und blies den Staub von den toten Blumen.

Und so saßen wir zwischen den kleinen Bierfässern. Gedalje kräuselte und glättete seinen dünnen Bart. Sein Zylinder schwankte über uns wie ein dunkler Turm. Die warme Luft strömte über uns hin. Der Himmel wechselte seine Farbe. Helles Blut rieselte aus der Flasche, die über uns umgestürzt war, und ein leichter Geruch von Fäulnis umwehte mich.

»Sagen wir ›ja‹ zur Revolution. Sollen wir aber zum Sabbat ›nein‹ sagen?« So begann Gedalje und fing mich in den Seidenbändern seiner rauchigen Augen. »Ja, sage ich zur Revolution, ja, rufe ich ihr zu. Aber sie verbirgt sich vor Gedalje und schickt nur den Tod zu mir...«

»In geschlossene Augen kann die Sonne nicht hineinleuchten«, antwortete ich dem Greis. »Aber wir werden die geschlossenen Augen aufreißen.«

»Der Pole hat mir die Augen geschlossen«, flüsterte der Greis kaum hörbar, »der Pole, dieser Hund. Er fängt den Juden und reißt ihn an seinem Bart, der Hund. Und jetzt schlägt man diesen bösartigen Hund. Das ist ungewöhnlich, das ist Revolution. Und dann sagt sie zu mir, die den Polen geschlagen hat: ›Gib uns auf Revers dein Grammophon, Gedalje‹... ›Ich liebe Musik, meine Dame‹, antworte ich der Revolution. ›Du weißt nicht, was du liebst, Gedalje. Ich werde dich töten, dann wirst du es erfahren, und ich kann es nicht lassen, zu töten, denn ich bin die Revolution.‹«

»Sie kann es nicht lassen, zu töten, Gedalje«, antwortete ich dem Greis, »denn sie ist die Revolution.«

»Aber der Pole hat getötet, mein lieber Herr, weil er die Konterrevolution ist. Ihr tötet, weil ihr die Revolution seid. Die Revolution will aber Wohlstand, und der Wohlstand duldet keine armen Leute im Haus. Gute Werke werden von guten Menschen vollbracht. Die Revolution ist eine gute Sache von guten Menschen. Aber gute Menschen töten nicht! Das heißt also, die Revolution wird von bösen Menschen gemacht. Aber auch die Polen sind böse Menschen. Wer wird Gedalje sagen, wo Revolution ist und wo Konterrevolution? Ich habe einst den Talmud studiert, und ich liebe Rosches Kommentare und die Bücher des Maimonides. In Schitomir gibt es auch andere gelehrte Menschen. Und sehen Sie, wir alle, wir gelehrten Leute, fallen auf unser Gesicht und schreien im Chor: Wehe uns, wo bleibt die süße Revolution?«

Der Greis schwieg, und wir erblickten den ersten Stern, der die Milchstraße durchdrang.

»Der Sabbat kommt«, begann Gedalje ernst. »Die Juden sollen in die Synagoge gehen... Herr Genosse«, sagte er und stand auf, und sein Zylinder, der schwarze Turm, schwankte über seinem Kopf. »Bringen Sie ein paar gute Menschen nach Schitomir. In unserer Stadt, ach, gibt es nicht genug davon, ach, es gibt nicht genug. Bringen Sie gute Menschen her, und wir werden ihnen alle Grammophone übergeben. Wir sind nicht unwissend. Die Internationale – wir wissen, was die Internationale ist. Auch ich wünsche mir eine Internationale: die Internationale der guten Menschen. Ich wünsche mir, daß für jede Seele gesorgt wird und daß sie die Zuteilung der ersten Kategorie bekommt. Da hast du, Seele, bitte, iß und freu dich auch du des Lebens. Die Internationale... Sie wissen nicht, Herr Genosse, in welcher Zubereitung man sie ißt...«

»Man ißt sie mit Pulver«, antwortete ich dem Greis, »und man würzt sie mit dem besten Blut.«

Und da stieg aus dem bläulichen Dunkel der neue Sabbat auf seinen Stuhl.

»Gedalje«, sprach ich, »heute ist Freitag, und es ist schon Abend. Wo kann man jüdisches Brot bekommen und eine Tasse jüdischen Tee und ein bißchen von dem verbannten Gott in dieser Tasse Tee?«

»Nirgends«, antwortete Gedalje und hängte ein Schloß vor die Zauberschachtel von einem Laden. »Nirgends. Hier nebenan ist eine Kneipe, und gute Menschen haben sie geführt. Aber dort ißt man nicht mehr, dort weint man.«

Er knöpfte die drei beinernen Knöpfe an seinem grünen Mantel zu. Er staubte sich mit dem Hahnenwedel ab, besprengte seine weichen Handflächen mit Wasser und entfernte sich: winzig, einsam, ein Träumer mit schwarzem Zylinder und einem großen Gebetbuch unter dem Arm.

Der Sabbat kam. Gedalje, Begründer einer Internationale, die sich nicht verwirklichen läßt, ging in die Synagoge, um zu beten.

Meine erste Gans

Als er mich erblickte, erhob sich Sawitzki, Kommandeur der Sechsten Division, und ich bewunderte die Schönheit seines riesigen Körpers. Er erhob sich, und der Purpur seiner Reithosen, die himbeerfarbene schiefe Mütze und die Orden an seiner Brust durchschnitten das Zimmer wie eine Standarte den Himmel. Ihn umgaben der kühle Duft und die herbe Frische der Seife. Seine langen Beine glichen zwei Mädchen, die bis zu den Achseln in glänzende Stiefel gesteckt sind.

Er lächelte mir zu, schlug mit der Reitpeitsche auf den Tisch und zog den Befehl zu sich, den der Chef des Stabes vorhin diktiert hatte. Es war ein Befehl an Iwan Tschesnokow, mit dem ihm anvertrauten Regiment in Richtung Tschugunow-Dobriwodka aufzubrechen, mit dem Feind Fühlung aufzunehmen und selbigen zu vernichten.

»Für die Vernichtung«, begann der Divisionskommandeur zu schreiben und kritzelte dabei ein ganzes Blatt voll, »mache ich den erwähnten Tschesnokow voll verantwortlich; andernfalls werde ich ihn auf der Stelle übel zurichten, woran Sie, Genosse Tschesnokow, da Sie mit mir ja nicht erst einen Monat an allen Fronten zusammengearbeitet haben, nicht zweifeln dürften...«

Der Kommandeur der Sechsten Division unterschrieb den Befehl und machte nach dem letzten Buchstaben einen Schnörkel. Dann warf er das Blatt Papier der Ordonnanz zu und richtete auf mich den Blick seiner braunen Augen, die vor Vergnügen glitzerten.

»Na, was willst du?« rief er und zerriß die Luft mit seiner Peitsche. Dann las er den Akt, in dem stand, daß ich dem Divisionsstab zugeteilt worden war.

»In den Tagesbefehl damit«, sagte der Divisionskommandeur, »außerdem in die Liste eintragen, für jede Verwendung. Kannst du lesen und schreiben?«

»Ja«, sagte ich und verspürte Neid auf diese eiserne und blühende Jugend. »Ich bin Kandidat der Rechte an der Petersburger Universität.«

»Ah, ein Muttersöhnchen!« rief er lachend. »Und eine Brille trägst du! Was für ein Häufchen Elend! Da schickt man euch, ohne uns zu fragen, und hier geht ihr dann vor die Hunde. Glaubst du, du wirst mit uns auskommen, ha?«

»O ja«, antwortete ich und ging mit dem Quartiermeister ins Dorf, um mir ein Nachtlager zu suchen. Der Quartiermeister trug meine Kiste auf der Schulter. Die Dorfstraße dehnte sich vor uns, rund und gelb wie ein Kürbis, und die sterbende Sonne verbreitete vom Himmel ihren rosaroten Hauch.

Wir erreichten eine Hütte, die mit Kränzen geschmückt war. Der Quartiermeister blieb stehen, lächelte, als fühle er sich schuldig, und sagte plötzlich:

»Wir haben nur Plage mit euch Brillenträgern, unsere Leute lassen sie nicht in Frieden. Ein Mensch von hoher Bildung würde hier seine Seele verlieren. Wenn Sie aber imstande wären, eine Dame, die keuscheste Dame, zu kriegen, dann würden die Soldaten Sie gern haben.«

Er ließ meine Kiste auf seiner Schulter wackeln und trat ganz nahe auf mich zu; dann hüpfte er verzweifelt und lief in den ersten Hof. Dort saßen Kosaken auf dem Heu und rasierten einander.

»Soldaten«, sagte der Quartiermeister und stellte meine Kiste auf den Boden. »Auf Befehl des Genossen Sawitzki habt Ihr diesen Mann in eure Räume aufzunehmen – und keine Schweinereien, denn dieser Mann hat auf dem wissenschaftlichen Sektor viel gelitten.«

Der Quartiermeister errötete und ging, ohne sich umzudrehen. Ich salutierte den Kosaken. Ein Bursche mit glattem Flachshaar und einem wunderschönen Rjasaner Gesicht ging zu meiner Kiste hinüber und warf sie zum Tor hinaus. Dann drehte er mir den Hintern zu und begann mit großer Geschicklichkeit, unanständige Geräusche zu entwickeln.

»Kanone null-null!« rief ihm ein älterer Kosak lachend zu. »Schnellfeuer!«

Der Bursche war mit seiner bescheidenen Kunstfertigkeit am Ende und ging. Ich kroch auf dem Boden herum und suchte meine Manuskripte und meine abgetragenen Lumpen zusammen, die aus der Kiste gefallen waren. Ich sammelte sie auf und trug sie ans andere Ende des Hofs. Neben der Ziegelbaracke stand ein Kessel, in dem Schweinefleisch gekocht wurde. Es rauchte wie das ferne Elternhaus im Dorf, und in mir mischte sich der Hunger mit grenzenloser Einsamkeit. Ich bedeckte meine zerbrochene Kiste mit Heu, machte daraus ein Kissen und legte mich auf die Erde, um in der ›Prawda‹ Lenins Rede vor dem Zweiten Kominternkongreß zu lesen. Jenseits der spitzen Hügel schien noch die Sonne, die mich streichelte. Die Kosaken traten mir auf die Füße, der Bursche verspottete mich unermüdlich, und die teuren Zeilen kamen auf einem Dornenweg auf mich zu und konnten mich nicht erreichen. Da legte ich die Zeitung weg und ging zu der Hausfrau, die auf dem Vorbau saß und spann.

»Bäuerin«, sagte ich. »Ich will essen.«

Die Greisin richtete den Blick ihrer halbblinden Augen mit verschwommenem Weiß auf mich und senkte ihn gleich wieder.

»Genosse«, sagte sie nach einer Pause. »Wegen all dieser Dinge möchte ich mich am liebsten aufhängen.«

»Zum Teufel mit dir!« brummte ich böse und stieß die Greisin mit der Faust in die Brust. Was rede ich da überhaupt noch herum?«

Als ich mich umdrehte, erblickte ich einen fremden Säbel, der nicht weit von mir auf dem Boden lag. Eine stolze Gans watschelte einsam über den Hof und schüttelte in aller Ruhe ihre Federn. Ich ging hin und trat auf sie. Der Kopf der Gans knackte unter meinem Fuß, er zerbarst und das Hirn lief aus. Der weiße Hals lag im Dreck, und die Flügel ragten über die tote Gans empor.

»Zum Teufel mit dir!« sagte ich, während ich den Säbel in die Gans bohrte. »Brate sie mir, Bäuerin!«

Die halbblinden Augen und die Brille glänzten, als die Greisin die Gans aufhob, in ihre Schürze wickelte und in die Küche trug.

»Genosse«, sagte sie nach einer Pause. »Ich werde mich aufhängen.« Dann schloß sie die Tür hinter sich.

Im Hof saßen die Kosaken um ihren Kessel. Sie saßen unbeweglich und steif wie Medizinmänner, als hätten sie die Gans gar nicht bemerkt.

»Einen solchen Burschen können wir brauchen«, sagte einer von ihnen, zwinkerte mir zu und stieß seinen Löffel in die Suppe.

Die Kosaken begannen ihr Abendessen mit der zurückhaltenden Würde von Bauern, die einander achten, und ich wischte den Säbel im Sand ab, trat zum Tor hinaus und kehrte müde wieder zurück. Der Mond schwebte schon über dem Hof wie ein billiges Ohrgehänge.

»Bruder!« sagte plötzlich Surowkow, der Älteste der Kosaken, zu mir. »Setz dich zu uns und iß, bis deine Gans fertig ist.«

Er zog aus dem Stiefel einen Reservelöffel und reichte ihn mir. Wir schlürften die Suppe, die sie selbst gekocht hatten, und aßen dann das Schweinefleisch auf.

»Was sagen die Zeitungen?« fragte der Bursche mit dem Flachshaar und machte mir Platz.

»Lenin schreibt in der Zeitung«, sagte ich und zog die ›Prawda‹ hervor. »Lenin schreibt, daß es uns an allem mangelt...«

Und mit Donnerstimme wie ein feierlicher Schwerhöriger las ich den Kosaken Lenins Rede vor.

Der Abend hüllte mich in die belebende Feuchtigkeit seiner Nebeltücher. Er berührte mit seiner mütterlichen Hand meine heiße Stirn. Ich las und triumphierte und verfolgte die untergründigen Kurven der Leninschen Geraden.

»Jeden kann die Wahrheit kitzeln«, sagte Surowkow, als ich fertig war. »Aber sobald er sie aus dem Haufen hervorzieht, beginnt er, darauf herumzuhacken wie die Henne auf dem Korn...«

So sprach über Lenin der Kommandant der Stabsschwadron, Surowkow, und dann gingen wir ins Heu schlafen. Wir schliefen dort zu sechst und wärmten einander mit unseren überkreuzten Beinen unter dem durchgebrochenen Dach, durch das die Sterne wanderten. Ich träumte und sah Frauen in meinem Traum, aber mein Herz, blutig vom Mord, knirschte und quoll über.

Der Rabbi

»Alles ist sterblich. Ewiges Leben ist nur der Mutter beschieden. Und wenn die Mutter stirbt, hinterläßt sie eine Erinnerung, die niemand zu schänden wagt. Die Erinnerung an die Mutter nährt in uns Mitgefühl, wie der Ozean, der unendliche Ozean, die Flüsse nährt, die die Welt durchschneiden.«

Dies waren Gedaljes Worte. Er sprach sie feierlich. Der sterbende Abend umgab ihn mit dem rosafarbenen Hauch seiner Trauer. Der Greis sagte:

»Im hohen Gebäude der chassidischen Lehre sind Fenster und Türen eingeschlagen, aber es ist unsterblich wie die Seele der Mutter… Mit ausgeronnenen Augen steht die chassidische Lehre noch immer am Kreuzweg der zornigen Winde der Geschichte.«

So sprach Gedalje, und nachdem er in der Synagoge gebetet hatte, führte er mich zum Rabbi Motale, dem letzten der Tschernobylen-Dynastie.

Ich trat mit Gedalje auf die Hauptstraße. In der Ferne leuchteten weiße Kirchen wie Buchweizenfelder. Hinter der Ecke quietschte ein Lafettenrad. Zwei schwangere Ukrainerinnen traten aus einem Tor, mit klirrenden Halsketten, und setzten sich auf die Bank. Ein blasser Stern leuchtete in den orangefarbenen Qualen des Sonnenuntergangs, und der Sabbatfriede legte sich auf die wirren Dächer des Gettos von Schitomir.

»Hier«, flüsterte Gedalje und zeigte auf ein langgestrecktes Gebäude mit demolierter Fassade.

Wir traten ins Zimmer, das steinern und leer war wie eine Gruft. Rabbi Motale saß am Tisch, umgeben von Besessenen und Lügnern. Er trug eine Pelzmütze und einen weißen Hausmantel, der von einer Schnur zusammengehalten wurde. Der Rabbi saß mit geschlossenen Augen da und fuhr mit seinen mageren Fingern durch den gelben Flaum seines Barts.

»Wo kommt der Jude her?« fragte er und hob den Blick.

»Aus Odessa«, antwortete ich.

»Eine gottesfürchtige Stadt«, sagte der Rabbi plötzlich mit einer ungewöhnlich starken Stimme. »Der Stern unserer Verbannung, unfreiwillig der Brunnen unseres Jammers... Was treibt der Jude?«

»Ich übertrage die Abenteuer des Herschel Ostropoljer in Verse.«

»Ein großes Unterfangen«, flüsterte der Rabbi und schloß die Augen. »Der Schakal heult, wenn er hungrig ist. Jeder Dummkopf ist dumm genug, um sentimental zu werden, und nur der Weise zerreißt mit seinem Lachen den Schleier des Seins... Was hat der Jude studiert?«

»Die Bibel.«

»Was sucht der Jude?«

»Die Freude.«

»Reb Mardochai«, sagte der Zaddik und schüttelte seinen Bart. »Der junge Mann soll sich an den Tisch setzen und soll an diesem Sabbatabend zusammen mit den anderen Juden essen; er soll sich freuen, daß er lebt und nicht tot ist; er soll in die Hände klatschen, wenn seine Nachbarn tanzen; er soll Wein trinken, wenn man ihm Wein gibt.«

Reb Mardochai lief auf mich zu; er war ein alter Clown mit aufgestülpten Augenlidern, ein buckliger Greis, kaum größer als ein zehnjähriger Knabe.

»Ach, mein lieber und so junger Mann«, sagte der zerlumpte Reb Mardochai und zwinkerte mir zu. »Ach, wie viele reiche Narren habe ich in Odessa gekannt, wie viele arme Weise habe ich in Odessa gekannt! Setzen Sie sich zum Tisch, junger Mann, und trinken Sie den Wein, den man Ihnen nicht geben wird.«

Wir setzten uns alle nebeneinader, die Besessenen, die Lügner und die Dummköpfe. In der Ecke stöhnten über den Gebetbüchern breitschultrige Juden, die Fischern und Aposteln glichen. Gedalje döste in seinem grünen Mantel in der Ecke wie ein bunter Vogel. Und plötzlich erblickte ich hinter Gedaljes Rücken einen jungen Mann mit den Zügen Spinozas, mit Spinozas mächtiger Stirn, mit dem blassen Gesicht einer Nonne. Er rauchte und zitterte wie ein Flüchtling, den man nach langer Jagd erwischt und wieder ins Gefängnis gesteckt hat. Der zerlumpte Mardochai schlich sich von hinten an ihn heran, riß ihm die Zigarette aus dem Mund und lief auf mich zu.

»Das ist Ilja, der Sohn des Rabbi«, stöhnte Mardochai, und das blutunterlaufene Fleisch seiner aufgestülpten Augenlider kam mir ganz nahe. »Der verdammte Sohn, der letzte Sohn, der ungehorsame Sohn.« Und Mardochai drohte dem jungen Mann mit der Faust und spuckte ihm ins Gesicht.

»Geheiligt sei der Herr«, hallte die Stimme des Rabbi Motale, und er brach das Brot mit seinen mönchischen Fingern. »Geheiligt sei der Gott Israels, der uns erwählt hat unter allen Völkern der Erde.«

Der Rabbi segnete die Speisen, und wir setzten uns an die Tafel. Draußen wieherten die Pferde und brüllten die Kosaken. Draußen gähnte die Verwüstung des Kriegs. Inmitten der Stille und des Gebets rauchte der Sohn des Rabbi eine Zigarette nach der anderen. Als das Abendessen beendet war, stand ich als erster auf.

»Mein lieber und so junger Mann«, murmelte Mardochai hinter meinem Rücken und zog mich am Gürtel. »Gäbe es auf der Welt niemanden anderen als böse Reiche und arme Landstreicher, wie sollten dann die Heiligen leben?«

Ich gab dem Alten Geld und trat auf die Straße. Ich nahm Abschied von Gedalje und ging zum Bahnhof. Dort, auf dem Bahnhof, im Agitationszug der Ersten Reiterarmee, erwartete mich der Glanz von hundert Lichtern, das magische Leuchten der Radiostation, das beharrliche Hämmern der Druckmaschinen und mein liegengelassener Artikel für die Zeitung ›Der Rote Kavallerist‹.

Der Weg nach Brody

Ich trauere um die Bienen. Die feindlichen Armeen haben sie ausgerottet. In Wolhynien gibt es keine Bienen mehr.

Wir haben zahllose Bienenstöcke geschändet. Wir haben sie mit Schwefel vergiftet und mit Pulver in die Luft gesprengt. Die qualmenden Reste verbreiteten Gestank in den geheiligten Republiken der Bienen. Im Sterben flogen sie langsam umher und summten kaum hörbar. Aus Mangel an Brot holten wir mit unseren Säbeln den Honig heraus. In Wolhynien gibt es keine Bienen mehr.

Die Chronik der täglichen Schandtaten quält mich unablässig wie Herzweh. Gestern war der erste Tag der Schlacht bei Brody. Auf der blauen Erde verirrt, hatten wir es nicht geahnt: weder ich noch Afonjka Bida, mein Freund. Die Pferde hatten in der Früh ihren Hafer bekommen. Der Roggen stand hoch, die Sonne war herrlich, und die Seele, unwürdig dieser strahlenden und unerreichbaren Himmel, sehnte sich nach leisem Schmerz. Mit meiner Trauer brachte ich Afonjkas trägen Mund zum Reden.

»Von den Bienen und ihrer Gutherzigkeit erzählen die Frauen in den Dörfern«, antwortete mein Freund, der Rottenführer, »sie wissen eine Menge Geschichten. Ob die Menschen Christus beleidigt haben oder nicht, das erfährt man erst, wenn die Zeit um ist. Christus litt am Kreuz, und um Christus flogen, so erzählen die Frauen in den Dörfern, die Mücken, um ihn zu quälen. Er sah sie an mit seinen Augen und war betrübt darüber, aber diese Mücken konnten seine Augen nicht sehen. Plötzlich kam eine Biene dahergeflogen und begann, um Christus zu kreisen. ›Stich ihn!‹ rief eine Mücke der Biene zu, ›stich ihn, auf unsere Verantwortung!‹ – ›Ich kann nicht!‹ sagte die Biene und breitete ihre Flügel über ihn. ›Das kann ich nicht. Er ist ein Zimmermann.‹ Man muß die Biene verstehen«, schloß Afonjka, mein Rottenführer. »Ja, und jetzt müssen die Bienen leiden, und vielleicht machen wir uns für sie hier die Hände schmutzig.«

Afonjka winkte ab und begann zu singen. Es war das

Lied von einem rotbraunen Hengst. Acht Kosaken – Afonjkas Rotte – begannen, ihn zu begleiten.

»Der rotbraune Hengst, Dschigit mit Namen, gehörte einem Kosakenoffizier, der sich mit Wodka vollsoff, am Feiertage Johanni Enthauptung.« So sang Afonjka und spannte seine Stimme wie die Saite eines Musikinstruments, während er im Sattel döste. – Dschigit war ein treues Pferd, und an Feiertagen kannten die Wünsche des Kosakenoffiziers keine Grenzen. An jenem Tag waren es fünf Flaschen. Nach der vierten Flasche setzte sich der Kosakenoffizier auf sein Pferd und ritt in den Himmel. Der Ritt hinauf war lang, aber Dschigit war ein treues Pferd. Sie kamen im Himmel an, und der Kosakenoffizier wollte nach der fünften Flasche greifen. Doch die fünfte Flasche war auf der Erde geblieben. Da begann der Kosakenoffizier zu weinen, über seine vergebliche Mühe. Er weinte, und Dschigit bewegte die Ohren und blickte auf seinen Herrn...

So sang Afonjka mit gedehnter Stimme und fiel in Schlaf. Das Lied verwehte wie Rauch. Und wir ritten dem heroischen Sonnenuntergang entgegen. Seine siedenden Ströme ergossen sich über die gestickten Handtücher der Bauernfelder. Die Stille wurde rosafarben. Die Erde wölbte sich wie ein Katzenbuckel, in glänzendes Weizenfell gehüllt. Auf dem Hügel duckten sich die Lehmhütten des Dorfs Klekotow. Hinter dem Gipfel erwartete uns das Gespenst der toten Stadt, des zum Himmel ragenden Brody. Aber bei Klekotow pfiffen uns Schüsse ins Gesicht. Hinter einer Hütte tauchten die Köpfe zweier polnischer Soldaten auf. Ihre Pferde waren an die Pfosten gebunden. Eine feindliche leichte Batterie preschte hastig auf den Hügel vor. Die Einschläge hämmerten ihre Naht in die Straße.

»Galopp«, schrie Afonjka.

Und wir flohen.

O Brody! Die Mumien deiner erstorbenen Leidenschaften durchtränkten mich mit dem Hauch unwiderstehlichen Gifts. Ich spürte schon das Eis des Todes in meinen Augenhöhlen, die erfüllt waren von gefrorenen Tränen. Aber siehe, der unruhige Galopp trug mich fort von den zerkerbten Steinen deiner Synagogen...

Die Lektion vom Maschinengewehrwagen

Man hat mir vom Stab einen Kutscher geschickt oder, wie man bei uns sagt, einen Fahrer. Sein Name ist Grischtschuk, er ist neununddreißig Jahre alt, die Geschichte seines Lebens ist schrecklich.

Fünf Jahre verbrachte Grischtschuk in deutscher Kriegsgefangenschaft. Vor einigen Monaten floh er, durchquerte Litauen und Nordwestrußland, kam nach Wolhynien, und in Bjelow wurde er von der ahnungslosesten Mobilisierungskommission der Welt zum Militärdienst eingezogen. Vom Kreis Kremenez, aus dem Grischtschuk stammt, trennten ihn nur mehr fünfzig Werst. Im Kreis Kremenez hatte er Frau und Kinder. Er war seit fünf Jahren und zwei Monaten nicht zu Hause gewesen. Die Mobilisierungskommission teilte ihn mir als Fahrer zu, und ich hörte auf, ein Paria unter den Kosaken zu sein.

Ich verfügte über einen Maschinengewehrwagen mit Fahrer! Ein Maschinengewehrwagen! Dieses Wort war die Hypotenuse eines Dreiecks, auf dem unsere Bräuche aufgebaut waren: Massaker, Maschinengewehrwagen, Pferd...

Die ganz gewöhnliche Popenkutsche gewann durch den Bürgerkrieg Bedeutung und wurde zu einem grausamen und beweglichen Kampfmittel; es schuf eine neue Strategie und eine neue Taktik, verwandelte das altgewohnte Gesicht des Krieges und brachte Helden und Genies des Maschinengewehrwagens hervor, wie zum Beispiel Machno, den wir erwürgt haben und der aus dem Maschinengewehrwagen die Achse seiner geheimnisvollen und listigen Strategie gemacht hatte. Machno hatte die Infanterie, die Artillerie und sogar die Kavallerie aufgegeben und diese schwerfälligen Massen durch dreihundert auf Kutschen aufgeschraubte Maschinengewehre ersetzt. So war Machno vielgestaltig wie die Natur. Heuwagen, zu Kampflinien gereiht, eroberten Städte. Ein Hochzeitszug, der sich dem Gebäude des Gebietsexekutivkomitees nähert, eröffnet, ohne Zeit zu verlieren, ein konzentrisches Feuer, und ein hagerer Pope entrollt die schwarze Fahne der Anarchie und fordert die Behörden zur Übergabe auf, zur Auslieferung der Bourgeoisie, zur Auslieferung des Proletariats, des Weins und der Musik.

Eine Armee aus Maschinengewehrwagen besitzt eine ungeahnte Manövrierfähigkeit.

Budjonny machte das nicht schlechter als Machno. So eine Armee zu schlagen, ist schwer, sie zu stellen aussichtslos. Ein Maschinengewehr, das in einem Heuhaufen vergraben ist, und ein Maschinengewehrwagen, der in einer Scheune untergebracht ist, hören auf, Kampfeinheiten zu sein. Die Punkte, die man so erhält, sind die Voraussetzungen einer Rechnung mit Unbekannten, deren Summe dem Aufbau des ukrainischen Dorfs entspricht, wie es vor kurzem noch war: wild, aufsässig und eigennützig. Eine solche Armee mit überall verstreuter Ausrüstung konnte Machno innerhalb einer Stunde kampfbereit machen; noch weniger Zeit brauchte er, um sie wieder verschwinden zu lassen.

Bei uns, in Budjonnys regulärer Kavallerie, spielte der Maschinengewehrwagen keine so hervorragende Rolle. Trotzdem wurden alle unsere Maschinengewehrabteilungen nur mit Kutschen befördert. Die Kosakenphantasie unterschied nur zwei Typen von Maschinengewehrwagen: solche, die in Kolonnen, und solche, die aus dem Hinterhalt angriffen. Das war eine Einteilung, die durchaus den Tatsachen entsprach.

Die Wagen, die aus dem Hinterhalt angriffen, waren wacklige, ohne Liebe und Erfindergeist zusammengezimmerte Kutschen, die einst auf den Weizensteppen des Kubangebiets die rotnasige, armselige Beamtenschaft durchgerüttelt hatten, einen unausgeschlafenen Haufen von Menschen, die zu Obduktionen und polizeilichen Untersuchungen eilten. Die Maschinengewehrwagen, die in Kolonnen angriffen, hatten wir hingegen aus Samara, aus dem Ural- und Wolgagebiet bekommen, aus den reichen deutschen Kolonien. Die breiten Eichenlehnen dieser Maschinengewehrwagen waren mit üppigen Malereien verziert, mit saftigen Kränzen aus rosaroten deutschen Blumen. Der massive Boden des Wagens war mit Eisen beschlagen. Die Karosserie ruhte auf festen Federn. In diesen Federn spürte ich die Glut vieler Geschlechter, und diese Federn balancierten jetzt über der zerfurchten wolhynischen Straße.

Ich fühle die Begeisterung des ersten Besitzes. Jeden Tag nach dem Essen spannen wir ein. Grischtschuk führt die Pferde aus dem Stall. Sie sehen von Tag zu Tag besser aus. Mit stolzer Freude entdecke ich bereits einen matten Glanz auf ihren gestriegelten Flanken. Wir reiben die geschwollenen Beine der Pferde, kämmen ihre Mähnen, werfen auf ihre Rücken Kosakengeschirr, ein verworrenes ausgetrocknetes Netz von dünnen Lederriemen, und fahren im Trab aus dem Hof. Grischtschuk sitzt auf dem Bock; mein Sitz ist mit buntem Baumwolltuch bedeckt und mit Heu, das den Duft der Geruhsamkeit atmet. Die hohen Räder knirschen auf dem körnigen weißen Sand. Quadratische Felder voll blühender Mohnblumen schmücken die Erde, zerstörte Kirchen leuchten auf den Hügeln. Hoch über der Straße, in dem Loch, das eine Granate gerissen hat, steht die dunkle Statue der heiligen Ursula mit runden bloßen Armen. Und auf dem schwärzlichen Gold des Sockels verbinden sich die schmalen, uralten Buchstaben zu einer ungleichmäßigen Kette: AD MAI. GLORIAM IESU DIVAEQUE MATRIS EIUS.

Zu Füßen der polnischen Herrensitze kleben die leblosen jüdischen Ortschaften. Auf der Ziegelmauer plustert sich der weiße Pfau, leidenschaftslose Vision im blauen Raum. Hinter verstreuten Hütten versteckt sich, auf die armselige Erde geduckt, eine Synagoge, blind, rissig, rund wie ein Chassidenhut. Schmalbrüstige Juden wandeln traurig über die Kreuzungen. In meiner Erinnerung taucht das Bild der fröhlichen, untersetzten Juden des Südens auf, gärend wie billiger Wein. Man kann sie mit dem bitteren Stolz dieser langen knochigen Rücken, dieser tragischen gelben Bärte hier nicht vergleichen. Diese leidenschaftlichen Gesichtszüge, die ein qualvolles Leben geprägt hat, sind ohne Fett und ohne die Wärme des kreisenden Blutes. Die Bewegungen der galizischen und wolhynischen Juden sind nicht bedächtig, sie sind heftig und beleidigend, aber die Kraft ihrer Trauer ist voll düsterer Erhabenheit, und ihre geheime Verachtung der großen polnischen Herren ist grenzenlos. Während ich sie betrachte, begreife ich die stürmische Geschichte dieser Gegend, die Erzählungen über die Talmudlehrer, die gleichzeitig Wirtshäuser gepachtet hatten, die

Rabbiner, die sich mit Wucher beschäftigten, und die Mädchen, die von polnischen Soldaten vergewaltigt wurden oder derentwegen sich polnische Magnaten duellierten.

Dolguschows Tod

Der Vorhang der Schlacht näherte sich der Stadt. Zu Mittag raste Korotschajew, in einen schwarzen Mantel gehüllt, an uns vorbei – der in Ungnade gefallene Kommandeur der Vierten Division, der einsame Kämpfer, der den Tod suchte. Er rief mir im Vorbeireiten zu: »Unsere Verbindungen sind abgerissen, Radziwillow und Brody stehen in Flammen!«

Und er ritt davon, er wehte dahin, ganz schwarz, mit Pupillen wie Kohlen.

Auf der Ebene, die flach war wie ein Brett, formierten sich die Brigaden neu. Die Sonne kreiste in purpurfarbenem Staub. In den Gräben aßen Verwundete. Krankenschwestern lagen im Gras und sangen halblaut. Afonjkas Kuriere ritten kreuz und quer über die Felder und durchsuchten die Uniformen der Gefallenen. Afonjka ritt zwei Schritt von mir vorbei und sagte, ohne sich umzudrehen:

»Man hat uns hereingelegt, so sicher, wie zwei mal zwei vier ist. Ich glaube, man wird den Divisionskommandeur absetzen. Die Leute zweifeln an ihm.«

Die Polen kamen an den Wald heran, drei Werst von uns entfernt, und brachten in der Nähe ihre Maschinengewehre in Stellung. Die Schüsse heulten und pfiffen, ihr Winseln wuchs unerträglich. Die Kugeln durchsiebten die Erde; sie bohrten sich in sie hinein, fiebernd vor Ungeduld. Witjagaitschenko, der Regimentskommandeur, der in der Sonne schnarchte, schrie im Traum und wachte auf. Er stieg auf sein Pferd und ritt zur vordersten Schwadron. Sein Gesicht war faltig, es trug rote Streifen vom unbequemen Liegen, und seine Taschen waren voller Pflaumen. »Hundesöhne!« sagte er böse und spuckte einen Kern aus. »Eine Sauwirtschaft! Timoschka, zieh die Fahne auf!«

»Reiten wir denn los?« fragte Timoschka, nahm die Fahnenstange aus dem Steigbügel und entfaltete die Fahne, die einen eingezeichneten Stern und eine Parole der Dritten Internationale aufwies.

»Wir werden schon sehen«, sagte Witjagaitschenko und begann plötzlich wild zu brüllen: »Kinder, auf die Pferde! Schwadronen, ruft eure Leute zusammen!«

Die Trompeter bliesen Alarm. Die Schwadronen formierten sich in Kolonnen. Aus dem Graben kroch ein Verwundeter, hielt seine Hand vors Gesicht und sagte zu Witjagaitschenko:

»Taras Grigorjewitsch, ich bin ein Delegierter. Es scheint, wir werden hier zurückgelassen.«

»Ihr werdet euch selbst verteidigen«, murmelte Witjagaitschenko und ließ sein Pferd sich bäumen.

»Wir zweifeln daran, Taras Grigorjewitsch, daß wir das können!« rief der Verwundete ihm nach.

»Jammere nicht!« sagte Witjagaitschenko und drehte sich um. »Ich werde euch schon nicht im Stich lassen.« Und er befahl den Aufbruch.

In diesem Augenblick ertönte die weinerliche und weibische Stimme meines Freundes Afonjka Bida: »Treib uns nicht gleich zum Galopp, Taras Grigorjewitsch! Wir müssen noch fünf Werst reiten. Wie sollen wir sie schlagen, wenn unsere Pferde übermüdet sind... Das hat keinen Sinn. Wir werden noch früh genug oben bei der Muttergottes Birnen pflücken.«

»Schritt!« kommandierte Witjagaitschenko, ohne den Blick zu heben.

Das Regiment setzt sich in Bewegung.

»Wenn das mit dem Divisionskommandeur stimmt«, flüsterte Afonjka und verlangsamte sein Tempo. »Wenn man ihn absetzt, dann können wir gleich einpacken.«

Die Tränen schossen ihm in die Augen. Überrascht starrte ich Afonjka an. Er drehte sich wie ein Kreisel, griff nach seiner Mütze, stöhnte, schrie auf und verschwand.

Grischtschuk mit seinem blöden Maschinengewehrwagen und ich blieben allein zurück und trieben uns zwischen den brennenden Häusern bis zum Abend herum. Der Divisionsstab war verschwunden. Fremde Einheiten nahmen uns nicht auf. Truppenteile drangen in Brody ein und wurden wieder hinausgeworfen. Wir fuhren zum Stadtfriedhof. Hinter den Gräbern sprang eine polnische Patrouille hervor, richtete die Gewehre auf uns und eröffnete das Feuer. Grischtschuk drehte den Wagen um. Der Wagen krachte in allen Fugen.

»Grischtschuk!« schrie ich durch das Pfeifen des Windes und der Schüsse.

»Was für ein Zirkus!« antwortete er traurig.

»Wir sind erledigt!« schrie ich in Todesangst. »Wir sind erledigt, Väterchen!«

»Warum plagen sich nur die Frauen?« antwortete er noch trauriger. »Wozu die Verlobungen, die Hochzeiten, und worüber freuen sich die Verwandten...?«

Am Himmel blitzte ein rosafarbener Schweif auf und erlosch. Die Milchstraße kroch zwischen den Sternen hervor.

»Ich finde es lächerlich«, sagte Grischtschuk bitter und zeigte mit der Peitsche auf den Mann, der auf der Straße saß. »Ich finde es lächerlich, daß die Frauen sich so plagen.«

Der Mann, der auf der Straße saß, war der Telefonist Dolguschow. Er saß mit lang ausgestreckten Beinen und sah uns starr an. »Schaut her«, sagte Dolguschow, als wir uns ihm näherten. »Ich sterbe... Klar?«

»Klar«, sagte Grischtschuk und hielt die Pferde an. »Ihr müßt eine Kugel an mich verschwenden«, sagte Dolguschow ernst.

Er saß an einen Baum gelehnt, und seine Stiefel waren gespreizt. Ohne den Blick von mir zu wenden, streifte er vorsichtig sein Hemd hoch. Sein Bauch war aufgerissen, die Gedärme quollen auf die Knie herab, und man konnte seine Herzschläge sehen.

»Wenn die Schlachtschitzen kommen, werden sie ihre Späße mit mir treiben. Da sind meine Papiere, schreib meiner Mutter, wie und was.«

»Nein«, antwortete ich heiser und schlug das Pferd.

Dolguschow legte seine blauen Handflächen auf die Erde und starrte ungläubig auf seine Hände nieder.

»Du fliehst?« murmelte er umsinkend. »Dann flieh, du Schwein.«

Der Schweiß rann mir über den Körper. Die Maschinengewehre ratterten immer schneller, hysterisch, hartnäckig. In der Aureole des Sonnenuntergangs kam uns Afonjka Bida entgegengeritten.

»Wir zeigen es ihnen!« rief er fröhlich. »Was für ein Jahrmarkt ist denn da bei euch?«

Ich wies auf Dolguschow und entfernte mich.

Sie sprachen kurz miteinander. Ich konnte nicht hören was. Dolguschow reichte dem Rottenführer sein Soldbuch. Afonjka steckte es in den Stiefel und schoß Dolguschow in den Mund.

»Afonjka«, sagte ich kläglich lächelnd und ging auf den Kosaken zu. »Ich konnte es nicht.«

»Geh weg«, sagte er blaß wie ein Tuch. »Ich bring' dich um! Ihr Stubenhocker habt Mitleid mit uns wie die Katze mit der Maus!«

Und er zielte auf mich.

Ich entfernte mich langsam, ohne mich umzudrehen, und fühlte in meinem Rücken Frost und Tod.

»Genug!« schrie Grischtschuk hinter mir. »Mach keine Dummheiten!« Und er packte Afonjka an der Hand.

»Schweinehund!« rief Afonjka. »Er wird mir nicht entkommen!«

Grischtschuk holte mich an der Biegung ein. Afonjka war nicht mehr da. Er war in eine andere Richtung geritten.

»Siehst du, Grischtschuk«, sagte ich. »Heute habe ich Afonjka, meinen besten Freund, verloren.«

Grischtschuk holte unter dem Sitz einen verschrumpelten Apfel hervor.

»Iß«, sagte er zu mir. »Iß, ich bitte dich.«

Und ich empfing das Almosen von Grischtschuk und aß den Apfel, voll Trauer und Gottesfurcht.

Der Brigadekommandeur

In einer Hose mit silbernen Streifen stand Budjonny an einem Baum. Gerade war der Kommandeur der Zweiten Brigade gefallen.

Der Armeekommandeur ernannte Kolesnikow zum Nachfolger.

Eine Stunde vorher hatte Kolesnikow noch ein Regiment kommandiert, eine Woche vorher eine Schwadron.

Budjonny hatte den neuen Brigadekommandeur rufen lassen. Nun erwartete er ihn am Baum. Kolesnikow kam mit Almasow, seinem Kommissar.

»Die Schweine bedrängen uns!« sagte der Armeekommandeur mit strahlendem Lächeln. »Wir werden siegen oder krepieren. Ein Drittes gibt's nicht. Verstanden?«

»Jawohl!« antwortete Kolesnikow mit aufgerissenen Augen.

»Und wenn du fliehst, werde ich dich erschießen«, sagte der Armeekommandeur, lächelte und blickte dann auf den Chef der Spezialabteilung.

»Jawohl!« sagte der Chef der Spezialabteilung.

»Also rolle, Rad*!« rief ein Kosak im Vorbeigehen.

Budjonny drehte sich jäh auf den Fersen und salutierte dem neuen Brigadekommandeur. Der legte seine gespreizten, roten, jugendlichen Finger an die Mütze. Der Schweiß rann an ihm herunter, und er ging den gefurchten Rain entlang davon. Hundert Meter weiter warteten die Pferde auf ihn. Er ging mit gesenktem Kopf und stelzte langsam und müde auf seinen krummen langen Beinen. Der Sonnenuntergang überströmte ihn mit der himbeerfarbenen, phantastischen Glut des nahenden Todes.

Und plötzlich sahen wir auf der weithingestreckten Erde, auf der zerwühlten, gelben, nackten Fläche der Felder nur Kolesnikows schmalen Rücken, seine hängenden Arme und seinen gebeugten Kopf mit der grauen Mütze.

Eine Ordonnanz führte ihm das Pferd vor.

Er sprang in den Sattel und galoppierte zu seiner Brigade,

* »Rad« – russisch: »koleso« – Wortspiel mit dem Namen Kolesnikow.

ohne sich umzudrehen. Die Schwadronen erwarteten ihn neben der Straße, die nach Brody führte.

Der Wind trug uns ein vielstimmiges dumpfes »Hurra!« zu.

Durchs Fernglas sah ich den Brigadekommandeur auf seinem tänzelnden Pferd zwischen Säulen von blauem Staub.

»Kolesnikow führt die Brigade zur Attacke«, meldete der Beobachter, der über unseren Köpfen in einem Baum saß.

»Gut«, sagte Budjonny, zündete sich eine Zigarette an und schloß die Augen.

Das »Hurra!« war nicht mehr zu hören. Die Kanonade verstummte. Ein verirrtes Schrapnell pfiff über den Wald, und wir vernahmen die große Stille des Gemetzels.

»Der Bursche ist in Ordnung«, sagte der Armeekommandeur und stand auf. »Er ist auf Ruhm aus. Ich glaube, er wird ihn sich holen.«

Budjonny verlangte die Pferde und ritt auf das Schlachtfeld hinaus. Der Stab folgte ihm.

Ich bekam Kolesnikow noch am selben Abend zu Gesicht, eine Stunde nachdem die Polen vernichtet worden waren. Er ritt an der Spitze seiner Brigade, allein, auf einem fuchsroten Hengst von ungewöhnlicher Schönheit, und döste. Den rechten Arm trug er in einer Schlinge. Zehn Schritt hinter ihm trug ein berittener Kosak die wehende Fahne. Die Spitzenschwadron begann, träge zu singen: obszöne Lieder. Die Brigade zog sich staubig und endlos dahin, wie Bauernwagen, die vom Jahrmarkt heimkehren. An ihrem Ende schnauften die müden Musiker.

An diesem Abend erinnerte mich Kolesnikows Haltung an die herrische Gleichgültigkeit eines Tataren-Khans, und ich erkannte die Schule dieses Krieges, der Männer hervorgebracht hatte wie den eigensinnigen Pawlitschenko und den unwiderstehlichen Sawitzki.

Saschka Christus

Saschka war sein Name, und Christus nannte man ihn wegen seiner Demut. Er war Genossenschaftshirte in einem Kosakendorf, und seit seinem vierzehnten Lebensjahr, da ihn eine schreckliche Krankheit befallen hatte, verrichtete er keine schwere Arbeit mehr. Das alles geschah so:

Tarakanitsch, Saschkas Stiefvater, ging über den Winter in die Stadt Grosny und trat dort der Genossenschaft bei. Diese Genossenschaft war von Bauern aus Rjasan gegründet worden und hatte Erfolg. Tarakanitsch arbeitete für sie als Zimmermann und wurde langsam wohlhabend. Er konnte mit seiner Arbeit nicht allein fertig werden und ließ zu seiner Unterstützung den Knaben zu sich kommen: Das Dorf konnte den Winter über auch ohne Saschka auskommen. Saschka arbeitete bei seinem Stiefvater eine Woche lang. Dann kam der Samstag: Sie machten Feierabend und setzten sich, um Tee zu trinken. Es war Oktober, aber die Luft war mild. Sie öffneten das Fenster und stellten den zweiten Samowar auf. Unter dem Fenster strich eine Bettlerin umher. Sie klopfte ans Fenster und sagte:

»Grüß euch, ihr zugezogenen Bauern. Habt Mitleid mit meinem Elend.«

»Was für ein Elend?« sagte Tarakanitsch. »Komm herein, du Unglück!«

Die Bettlerin strich draußen herum und kam dann ins Zimmer. Sie trat an den Tisch und verbeugte sich tief. Tarakanitsch zog sie am Zopf, warf sie schließlich auf die Erde und griff ihr in die Haare. Die Bettlerin hatte braune Haare, die zu ergrauen begannen; sie waren zerzaust und staubig.

»Pfui! Was für ein wilder und hübscher Bauer du bist!« sagte sie. »Du führst ja einen richtigen Zirkus auf!« Dann flüsterte sie plötzlich: »Macht nur weiter keine Umstände mit mir alten Frau«, und kletterte auf die Bank. Tarakanitsch legte sich zu ihr und vergnügte sich mit ihr, so lange es ihm paßte. Die Bettlerin warf den Kopf zur Seite und lachte.

»Es regnet auf die Alte!« sagte sie. »Das gibt eine Ernte von zweihundert Pud auf die Desjatine.«

Und als sie das sagte, erblickte sie Saschka, der am Tisch Tee trank und seinen Blick nicht hob.

»Dein Bub?« fragte sie Tarakanitsch.

»Beinahe meiner«, antwortete Tarakanitsch. »Er gehört der Frau.«

»Das Kind macht große Augen«, sagte die Frau. »Komm her!«

Saschka ging zu ihr – und steckte sich mit der schrecklichen Krankheit an. Aber in diesem Augenblick dachte daran noch niemand. Tarakanitsch gab der Bettlerin die Reste des Mittagessens und ein silberglänzendes Fünfkopekenstück.

»Putz es mit Sand, du Betschwester«, sagte Tarakanitsch, »dann wird es noch schöner ausschauen. Wenn du es in einer dunklen Nacht dem lieben Herrgott leihst, dann wird es dir statt des Mondes leuchten.«

Die Bettlerin richtete sich den Zopf, sammelte die Reste des Essens vom Tisch und ging. Und nach zwei Wochen wurde den Bauern alles klar. Viele hatte sich mit der schrecklichen Krankheit angesteckt. Sie litten den ganzen Winter und behandelten sich mit Kräutern. Und im Frühjahr gingen sie ins Dorf, zu ihre Bauernarbeit.

Das Dorf war neun Werst von der Bahnstation entfernt. Tarakanitsch und Saschka gingen über die Felder. Die Erde lag in der Aprilfeuchtigkeit. In den schwarzen Löchern blitzten Smaragde, und grüne Gräser waren mit Kreuzstichen in die Erde gestickt. Die Erde roch säuerlich, wie eine Soldatenbraut in der Morgendämmerung. Die ersten Herden wälzten sich von den Hügeln, die ersten Hengste sprangen umher, vor dem weiten, blauen Horizont.

Tarakanitsch und Saschka benutzten kaum sichtbare Pfade.

»Laß mich, Tarakanitsch, zur Gemeinde als Hirte gehen«, sagte Saschka.

»Warum?«

»Ich muß immer daran denken, wie herrlich die Hirten leben.«

»Damit bin ich nicht einverstanden«, sagte Tarakanitsch.

»Laß mich um Gottes willen, Tarakanitsch«, wiederholte Saschka. »Alle Heiligen waren zuerst Hirten.«

»Der heilige Saschka!« sagte der Stiefvater kichernd. »Hat sich bei der Jungfrau mit Syphilis angesteckt!«

Sie passierten die Kurve bei der Roten Brücke, umgingen den Hain und danach die Weide und erblickten das Kreuz auf der Dorfkirche. Die Frauen stocherten noch in den Gärten herum, und die Kosaken machten sich unter den Fliederbüschen breit, tranken Schnaps und sangen. Sie hatten noch eine halbe Werst bis zur Hütte von Tarakanitsch.

»Gott gebe, daß alles gut geht«, sagte er und bekreuzigte sich.

Sie gelangten zur Hütte und spähten durchs Fensterchen. In der Hütte war niemand. Saschkas Mutter molk im Stall die Kuh. Die Bauern schlichen sich unhörbar heran. Tarakanitsch lachte plötzlich auf und schrie hinter dem Rücken seiner Frau:

»Motja, Eure Hoheit, bereite das Abendessen für die Gäste!«

Die Frau drehte sich um, erzitterte, lief aus dem Stall und kreiste wie ein Wirbelwind durch den Hof. Dann kehrte sie zurück, warf sich Tarakanitsch an die Brust und begann zu heulen.

»Wie dumm und abscheulich du bist!« sagte Tarakanitsch zärtlich und stieß sie von sich weg. »Ruf die Kinder!«

»Die Kinder sind fort«, sagte die Frau ganz blaß, lief wieder im Hof umher und fiel auf die Erde. »Ach, Aljoschenka!« brüllte sie wild, »die Kinder sind fort, mit den Füßen voran!«

Tarakanitsch hob die Hand, winkte ab und ging zu den Nachbarn. Die Nachbarn erzählten, daß Gott seinen kleinen Buben und das Mädchen nach einem Typhus zu sich genommen habe. Motja hatte ihm geschrieben, aber er hatte den Brief noch nicht bekommen. Tarakanitsch ging zurück in die Hütte. Die Frau machte Feuer im Herd.

»Du hast das Deinige getan, Motja«, sagte er. »Man sollte dich dafür zerreißen.«

Er setzte sich an den Tisch und war traurig. Er war traurig bis zum Schlafengehen, er aß Fleisch und trank Schnaps und sah sich auf seinem Anwesen nicht um. Er schnarchte am Tisch, wachte auf und schnarchte wieder.

Motja machte das Bett für sich und für den Mann und für Saschka in der Ecke. Sie löschte die Lampe und legte sich neben den Mann. Saschka wälzte sich auf dem Heu in seiner Ecke; seine Augen waren offen; er schlief nicht; und er sah wie im Traum die Hütte, einen Stern im Fenster, die Tischkante und das Pferdegeschirr unter dem Bett seiner Mutter. Er gab sich Träumereien hin, und plötzlich überfiel ihn wie eine unwiderstehliche Vision ein Wachtraum, an dem er Freude hatte. Es schien ihm, als hingen vom Himmel zwei silberne, aus dicken Fäden geflochtene Schnüre herunter, und als sei an ihnen eine Wiege befestigt, eine Wiege aus rosafarbenem Holz mit bunten Verzierungen. Sie schaukelte hoch über der Erde und weit vom Himmel, und die silbernen Schnüre bewegten sich und schimmerten. Saschka selbst lag in der Wiege, und die Luft strich über ihn. Die Luft strömte mit einem Getöse wie Musik von den Feldern, und ein Regenbogen blühte über dem unreifen Weizen.

Saschka freute sich über diesen Wachtraum und schloß die Augen, um das Pferdegeschirr unter dem Bett seiner Mutter nicht zu sehen. Dann hörte er schweren Atem von Motjas Bett her und dachte, Tarakanitsch quäle jetzt seine Mutter.

»Tarakanitsch!« rief er. »Ich will mit dir sprechen.«

»Was willst du mitten in der Nacht mit mir reden?« sagte Tarakanitsch böse. »Schlaf, du Kadaver!«

»Ich schwöre dir, es ist sehr wichtig«, antwortete Saschka. »Komm in den Hof.« Und draußen, vor dem noch nicht erloschenen Stern, sagte Saschka zu seinem Stiefvater. »Tu der Mutter nichts an, Tarakanitsch. Du bist angesteckt.«

»Kennst du meine Natur?« fragte Tarakanitsch.

»Ich kenne deine Natur. Hast du aber Mutters Körper gesehen? Ihre Beine und ihre Brüste sind rein. Laß sie in Ruhe, Tarakanitsch. Wir sind angesteckt.«

»Mein Lieber!« antwortete der Stiefvater. »Flieh vor dem Blut und flieh vor meiner Natur! Da hast du zwei Zehnkopekenstücke. Schlaf dich aus und werde nüchtern.«

»Ich will keine Kopeken«, murmelte Saschka. »Laß mich als Hirte zur Gemeinde gehen.«

»Damit bin ich nicht einverstanden«, sagte Tarakanitsch.

»Laß mich Hirte werden«, murmelte Saschka. »Sonst sage ich Mutter, wie es mit uns steht. Sie soll nicht krank werden, mit einem solchen Körper.«

Tarakanitsch entfernte sich, ging in den Schuppen und holte die Axt.

»Nimm dich in acht, Saschka«, flüsterte er. »Es fehlt nicht viel, und ich schlachte dich ab, du Heiliger.«

»Du wirst mich nicht ihretwegen abschlachten«, sagte der Knabe kaum hörbar und beugte sich zu seinem Stiefvater. »Du hast Mitleid mit mir. Laß mich Hirte werden.«

»Der Teufel soll dich holen!« sagte Tarakanitsch und warf die Axt weg. »Geh unter die Hirten!«

Und er kehrte in die Hütte zurück und schlief in der Nacht mit seiner Frau.

Saschka aber ging zu den Kosaken, um sich bei ihnen zu verdingen, und seither lebte er in ihrer Genossenschaft als Hirte. Durch seine Demut wurde er bald in der ganzen Umgebung berühmt, die Kosaken gaben ihm den Spitznamen »Saschka Christus«, und er lebte unter ihnen als unersetzlicher Hirte, bis er einberufen wurde. Nichtsnutzige alte Bauern kamen zu ihm auf die Weide, um mit ihm zu schwätzen, die Frauen besuchten ihn, um sich von den wilden Überfällen der Bauern zu erholen, und wegen seiner Liebe und wegen seines Leidens waren sie niemals böse auf ihn. Saschkas Einberufung fiel gerade ins erste Kriegsjahr. Vier Jahre war er im Krieg, und als er heimkehrte, wüteten dort gerade die Weißen. Man sagte Saschka, er solle ins Dorf Platowskaja gehen, wo sich eine Einheit gegen die Weißen bildete. Der ausgediente Wachtmeister Semjon Michailowitsch Budjonny kommandierte diese Einheit, und ihm zur Seite standen seine drei Brüder Jemeljan, Lukijan und Denis. Saschka ging nach Platowskaja, und dort entschied sich sein Schicksal. Er geriet in Budjonnys Regiment, in seine Brigade, in seine Division, in die Erste Reiterarmee. Er war dabei, als das tapfere Zaryzin befreit wurde, und als die Reiterarmee sich mit der Zehnten Armee unter Woroschilow vereinigte; er kämpfte bei Woronesch, bei Kastornaja und bei der Generalsbrücke am Donez. Während der Kampagne in Polen kam er zum Troß, weil er verwundet war und als Invalider betrachtet wurde.

So war dies alles geschehen. Unlängst freundete ich mich mit Saschka an und übersiedelte mit meiner Kiste auf seinen Wagen. Oft erwarteten wir zusammen die Morgendämmerung und betrachteten zusammen den Sonnenuntergang. Und sooft uns die Launen des Krieges zusammenbrachten, saßen wir abends in einer schimmernden Mulde oder kochten im rußigen Kessel Tee im Wald oder schliefen einer neben dem anderen auf den abgemähten Feldern, nachdem wir uns die hungrigen Pferde ans Bein gebunden hatten.

Der Lebenslauf des Matwej Rodionitsch Pawlitschenko

Landsleute, Genossen, meine lieben Brüder. Vernehmt im Namen der Menschheit den Lebenslauf des roten Generals Matwej Pawlitschenko. Dieser General war früher ein Hirte, ein Hirte auf dem Gut von Lidino, bei dem Herrn Nikitinski, und er hütete die Schweine seines Herrn, bis ihm das Leben Epauletten anhängte, und hinfort hatte er Hornvieh zu hüten. Wer weiß: wenn er in Australien geboren wäre, dann, meine Freunde, hätte unser Stolz Matwej Rodionitsch es vielleicht bis zu Elefanten gebracht, dann hätte unser Matjuschka vielleicht Elefanten gehütet. Aber leider gibt es in unserem Gouvernement keine Elefanten. Ich muß euch offen sagen, wir kennen in unserem geräumigen Gebiet von Stawropol kein größeres Tier als das Rindvieh. Und Rindvieh bietet einem armen Christenmenschen wenig Trost. Dem Russen ist es langweilig, Rindvieh zu quälen. Uns armen Menschen muß man ein Pferd geben, ein Pferd zum ewigen Gericht, auf daß ihm die Seele bei den Flanken herauskomme.

Und so weide ich mein Hornvieh, ich bin von allen Seiten mit Kühen umgeben, und ich rieche durch und durch nach Milch, ich rieche wie zerschnittenes Euter, die Jungstiere laufen wohlgeordnet um mich herum, die Jungstiere, die grau sind wie Mäuse. Um mich fliegt die Freiheit über die Felder, das Gras raschelt auf der ganzen Welt, die Himmel über mir öffnen sich wie eine Harmonika mit vielen Tasten, und die Himmel, Burschen, können im Gouvernement von Stawropol sehr blau sein. Und so weide ich mein Hornvieh und rufe zum Zeitvertreib mit der Flöte die Winde herbei. Eines Tages kommt ein Greis zu mir und sagt:

»Melde dich, Matwej«, sagt er, »bei Nastja.«

»Warum«, sage ich, »oder wollen Sie, Alter, sich vielleicht über mich lustig machen?«

»Melde dich«, sagte er, »sie will es.«

Und so melde ich mich bei ihr.

»Nastja«, sage ich, und mein Blut wird schwarz. »Nastja, wollen Sie sich vielleicht über mich lustig machen?«

Aber sie antwortet mir nicht, sondern läuft mir aus Leibeskräften davon, und ich renne hinter ihr her, bis wir auf der Weide ankommen, halb tot, erhitzt, atemlos.

»Matwej«, sagt Nastja zu mir. »Vor drei Wochen, zur Fischzeit, im Frühling, als die Fischer ans Ufer kamen, sind Sie auch mit ihnen gegangen, mit gebeugtem Kopf. Warum haben Sie Ihren Kopf gebeugt, Matwej, und was für ein Gedanke hat Ihr Herz geplagt? Antworten Sie mir.«

Und ich antwortete ihr:

»Nastja«, antwortete ich ihr, »ich kann Ihnen darüber nichts sagen, mein Kopf ist kein Gewehr, er hat zum Zielen keine Kimme und kein Korn. Und mein Herz, Nastja, wissen Sie, ist ganz leer, es riecht vielleicht nach Milch; es ist schrecklich, wie sehr ich nach Milch rieche.«

Und ich sehe, daß Nastja vor Lachen fast vergeht, nach diesen meinen Worten.

»Ich könnte schwören«, sagte sie und lacht wie verrückt, lacht aus vollem Hals, daß es über die Steppe hallt, als schlüge sie eine Trommel. »Ich könnte schwören, daß Sie den Fräuleins zublinzeln.«

Und nachdem wir eine Zeitlang über dieses und jenes geplaudert hatten, heirateten wir. Und so begannen Nastja und ich miteinander zu leben, wie wir es eben verstanden, und wir verstanden zu leben. Die ganze lange Nacht hindurch war uns heiß, auch im Winter war uns heiß, die ganze Nacht hindurch gingen wir nackt umher und rissen einander die Haut vom Leib. Schön haben wir gelebt, wie die Teufel, bis zu dem Tag, an dem der Greis zum zweitenmal erschien.

»Matwej«, sagte er, »der Herr hat unlängst deine Frau betastet. Er wird sie kriegen, der Herr.«

»Nein«, sagte ich. »Er wird sie nicht kriegen. Hören Sie damit auf – oder, verzeihen Sie, Alter, ich muß Sie auf der Stelle erschlagen.«

Und der Greis machte, daß er wegkam, und ich marschierte an diesem Tag zwanzig Werst, ein großes Stück Weg bewältigte ich, und am Abend erschien ich auf dem Gut Lidino bei meinem lustigen Herrn Nikitinski. Der alte Mann saß oben in einem Zimmer und prüfte drei Sättel: einen englischen Sattel, einen Dragonersattel und einen Kosakensattel. Und ich klebte wie angewurzelt in seiner Tür, wie eine Klette, eine Stunde lang klebte ich da, ohne daß etwas geschah. Aber dann wandte er den Blick zu mir.

»Was willst du?« fragte er.

»Ich will meine Entlassung.«

»Was hast du gegen mich?«

»Ich habe nichts gegen Sie, aber ich will fort.«

Darauf blickte er zur Seite, wie von der Hauptstraße in eine Nebengasse, dann richtete er sich auf und trat auf einen himbeerfarbenen Teppich, schöner als die Zarenfahne, plusterte sich auf und sagte:

»Dem Freien die Freiheit! Mit euren Müttern, ihr orthodoxen Christen, habe ich gemacht, was ich wollte, und du kannst deine Entlassung bekommen; aber vielleicht bist du mir, mein lieber Matjuscha, noch eine Kleinigkeit schuldig?«

»Haha«, antwortete ich, »Sie sind ein Spaßvogel. Der Schlag soll mich treffen, wenn Sie kein großer Spaßvogel sind. Ich habe doch noch Lohn von Ihnen zu bekommen!«

»Lohn?« sagte mein Herr darauf, mit den Zähnen knirschend, durchbohrte mich mit einem Blick, trat mich mit Füßen und brüllte mir Flüche in die Ohren, Flüche, auf den Vater, den Sohn und den Heiligen Geist. »Lohn möchtest du haben – Lohn? Hast du denn das Joch vergessen, das

Ochsenjoch, das dir voriges Jahr zerbrochen ist? Wo ist mein Joch, he?«

»Ich werde Ihnen das Joch ersetzen«, antwortete ich meinem Herrn und hob meine gewöhnlichen Augen zu ihm auf und stand vor ihm wie auf Nadeln und war kleiner als ein Mohnkörnchen. »Ich werde Ihnen das Joch schon ersetzen. Quälen Sie mich aber nicht mit Schulden, sondern haben Sie noch ein bißchen Geduld.«

Und was soll ich euch sagen, Burschen aus Stawropol, Landsleute, Genossen, meine lieben Brüder, mein Herr hat fünf Jahre lang gewartet, daß ich ihm die Schuld zurückzahle, fünf elende Jahre mußten vergehen, bis mir, dem Armen, das achtzehner Jahr beschert wurde. Es kam auf feurigen Hengsten und führte eine gewaltige Nachhut mit und viele Lieder. Ach, du mein achtzehner Jahr, werden wir denn nie mehr so fröhlich sein, mein liebes achtzehner Jahr? Wir haben deine Lieder gesungen, deinen Wein ausgetrunken und dein Recht aufgerichtet. Und nun sind nur noch die Schreiber von dir übriggeblieben, ach, meine Lieben, sind denn die Schreiber durch das Kubangebiet gezogen, haben die Schreiber Generalsseelen zum Himmel geschickt, aus einem Schritt Entfernung? Matwej Rodionitsch lag damals in seinem Blut unterhalb von Prikumsk, nur fünf Werst trennten ihn von dem Gut Lidino. Und ich erhob mich und brach allein dorthin auf, ohne meine Abteilung, und als ich zum großen Zimmer kam, trat ich ruhig ein. Dort im Zimmer saßen die örtlichen Machthaber, Nikitinski bewirtete sie mit Tee und schmeichelte sich bei ihnen ein. Als er mich aber erblickte, veränderte sich seine Miene, und ich zog vor ihm meine Kosakenmütze.

»Grüß euch«, sagte ich zu den Leuten. »Ich grüße euch, bitte schön. Mein Herr, wollen Sie einen Gast empfangen, oder wie steht's mit uns?«

»Hier geht alles ruhig und anständig vor sich«, antwortete mir ein Mann, seiner Rede nach ein Geometer. »Alles wird ruhig und anständig vor sich gehen. Aber du, Genosse Pawlitschenko, bist anscheinend weither geritten, und dein Gesicht ist voll Schmutz. Uns, den Vertretern der Regierungsmacht in diesem Bezirk, graut vor einem solchen Gesicht. Warum ist es so?«

»Das ist deshalb so«, antwortete ich, »ihr fischblütigen Vertreter der Regierungsmacht, weil mein Gesicht seit fünf Jahren brennt: Es brennt im Graben, und es brennt im Sturm, es brennt bei der Frau im Bett, und es wird brennen bis zum Jüngsten Gericht. Ja, bis zum Jüngsten Gericht.« So sprach ich und betrachtete Nikitinski scheinbar fröhlich, aber man sah seine Augen nicht mehr, nur zwei Kristallkugeln in seinem Gesicht, als hätte er zwei Kugeln unter der Stirn im Kopf, und auch er wollte fröhlich erscheinen und blinzelte mir mit diesen Kristallkugeln zu, aber es war schrecklich.

»Matjuschka«, sagte er zu mir. »Wir haben einander doch einst gut gekannt, und siehst du, infolge der Veränderungen, die eingetreten sind, hat meine Gattin, Nastja Wassiljewna, den Verstand verloren, sie war doch immer gut zu dir, Nastja Wassiljewna, und du, Matjuschka, hast sie am meisten verehrt, willst du sie nicht sehen, jetzt, da sie den Verstand verloren hat?«

»Warum nicht?« sage ich und trete mit ihm ins andere Zimmer, und dort faßt er meine Hände, zuerst die rechte, dann die linke.

»Matjuschka«, sagt er, »bist du mein Schicksal oder nicht?«

»Nein«, sage ich, »und laß diese Worte. Wir gemeinen Leute sind von Gott verlassen, das Schicksal ist eine dumme Gans, unser Leben ist nicht einmal eine Kopeke wert, laß diese Worte und höre dir, wenn du willst, diesen Brief von Lenin an.«

»Ein Brief für mich, Nikitinski?«

»Ja, für dich«, sage ich und nehme das Dienstbuch aus der Tasche, schlage eine leere Seite auf und lese vor, obwohl ich nicht lesen und schreiben kann. »Im Namen des Volkes«, lese ich, »und im Interesse eines zukünftigen glücklichen Lebens befehle ich Matwej Rodionitsch Pawlitschenko, nach seinem Gutdünken verschiedenen Menschen das Leben zu nehmen. Siehst du«, sage ich, »siehst du, das ist Lenins Brief, der für dich bestimmt ist.«

Und er zu mir: »Nein. Nein«, sagte er, »Matjuscha, da unser Leben beim Teufel ist, und da im apostolischen russischen Reich das Blut billig geworden ist, wirst du ohnehin genug Blut bekommen, soviel für dich bestimmt ist, und meinen sterbenden Blick wirst du ja doch vergessen. Wäre es also nicht besser, wenn ich dir zeigte, was hier unter unseren Füßen liegt?«

»Zeige es mir«, sage ich. »Vielleicht ist das besser...«

Und wieder gehe ich mit ihm durch die Zimmer, wir steigen in den Weinkeller hinunter, wo er einen Ziegel aus der Mauer nimmt und eine Schatulle herausholt. In der Schatulle liegen Ringe, Halsketten, Orden und ein Perlen-Amulett. Er wirft es mir hin und erstarrt.

»Es gehört dir«, sagt er. »Du sollst das Amulett der Nikitinskis haben, und dann mach, Matwej, daß du nach Prikumsk zurückkommst.«

Da packte ich ihn um den Leib, am Hals und an den Haaren.

»Und was soll ich mit meinem Gesicht machen?« sagte ich. Ja, was sollte ich mit meinem brennenden Gesicht machen, Menschen, Brüder? Darauf lachte er plötzlich laut über sich selbst und hörte auf, sich zu wehren.

»Du Seele eines Schakals«, sagt er und wehrt sich nicht. »Ich habe mit dir wie mit einem Offizier des russischen Zarenreichs gesprochen. Aber ihr seid alle Dreck. Eine Wölfin hat euch gesäugt. Erschieß mich, du Hundesohn...«

Aber ich erschoß ihn nicht, denn eine Kugel war ich ihm keinesfalls schuldig, sondern schleppte ihn hinauf in die Halle. Dort in der Halle saß Nastja Wassiljewna, vollkommen verrückt, sie saß mit einem blanken Säbel da und ging dann in der Halle umher und betrachtete sich im Spiegel. Und als ich Nikitinski hereingeschleppt hatte, lief Nastja Wassiljewna zu einem Sessel, in dessen Samtüberzug eine Krone gewebt war, setzte sich hinein und salutierte mit dem Säbel. Und dann trat ich meinen Herrn Nikitinski. Ich trat eine Stunde auf ihm herum und vielleicht länger als eine Stunde, und während dieser Zeit lernte ich das Leben vollkommen kennen. Mit einer Kugel, wenn ich mich so ausdrücken darf, wird man einen Menschen nur los. Eine Kugel hätte für ihn eine Gnade bedeutet und für mich eine ekelhafte Erleichterung. Mit einer Kugel kannst du nicht dorthin dringen, wo der Mensch seine Seele hat, und du kannst nicht herausfinden, wie sie ist. Aber ich schone mich selber auch nicht, ich trete manchmal auf dem Feind eine Stunde und länger als eine Stunde herum, weil ich wissen will, wie es da drinnen aussieht.

Der Friedhof von Kozin

Der Friedhof in einer jüdischen Kleinstadt. Assyrien und die geheimnisvolle Fäulnis des Ostens auf den wolhynischen Feldern, die mit Unkraut bewachsen sind.

Behauene graue Steine mit Inschriften, die dreihundert Jahre alt sind. Grob in Granit gehauenes Relief. Fisch und Schaf über dem Totenkopf. Rabbiner mit Pelzmützen. Rabbiner, die schmalen Hüften mit Riemen umgürtet. Und unter den blicklosen Gesichtern die wellige, steinerne Linie der wehenden Bärte. Abseits, unter einer Eiche, die der Blitz getroffen hat, liegt die Gruft des Rabbi Asrael, den Bogdan Chmelnitzkis Kosaken getötet haben. Vier Generationen liegen in dieser Gruft, die arm ist wie die Hütte eines Wasserträgers. Und die Tafeln, ganz von Grün bewachsen, besingen sie mit den blumigen Gebeten von Beduinen:

»Asrael, Sohn des Ananias, der Mund Jehovas.

Elias, Sohn Asraels, der Kopf, der mit dem Vergessen rang.

Wolf, Sohn des Elias, Fürst, der Thora entrissen im neunzehnten Lenz.

Juda, Sohn Wolfs, Rabbi von Krakau und Prag.

O Tod, du Gieriger, du unersättlicher Dieb, warum verschontest du uns nicht ein einziges Mal?«

Prischtschepa

Ich schlage mich durch nach Leschnjow, wo unser Divisionsstab untergebracht ist. Mein Begleiter ist Prischtschepa, ein junger Kosak aus dem Kuban-Gebiet, ein unermüdlicher Strolch, ein gesäuberter Kommunist und zukünftiger Lumpensammler, ein sorgloser Syphilitiker und ein fröhlicher Lügner. Auf dem Kopf trägt er eine himbeerfarbene Tscherkessenmütze aus feinem Stoff und auf dem Rücken eine Daunenkapuze. Unterwegs erzählt er mir von sich. Ich werde seine Geschichte nie vergessen.

Vor einem Jahr lief Prischtschepa den Weißen davon. Zur Vergeltung wurden seine Eltern verhaftet und als Geiseln erschossen. Ihr Hab und Gut wurde von den Nachbarn geplündert. Als die Weißen aus dem Kuban-Gebiet vertrieben wurden, kehrte Prischtschepa in sein Heimatdorf zurück.

Es war in der Morgendämmerung, und die schlafenden Bauern seufzten im säuerlichen Dunst. Prischtschepa nahm einen Militärwagen und fuhr durch das Dorf, um sein Grammophon, seine Kwaßkrüge und die Handtücher, die seine Mutter bestickt hatte, zu suchen. Er ging in einer schwarzen Pelerine, ein krummes Messer im Gurt, über die Straße; der Wagen rumpelte hinter ihm her. Prischtschepa ging von einem Nachbarn zum anderen, und überall hinterließen seine Sohlen eine blutige Spur. In jeder Hütte, in der der Kosak Sachen seiner Mutter oder eine Tabakspfeife seines Vaters fand, ließ er Greisinnen mit durchschnittener Kehle zurück, über dem Brunnen aufgehängte Hunde und mit Kot beschmutzte Ikonen. Ihre Pfeifen rauchend, sahen ihm die Einwohner mit düsteren Blicken nach. Junge Kosaken flohen in die Steppe und zählten die Opfer. Die Rechnung schwoll an, aber das Dorf schwieg. Als Prischtschepa fertig war, kehrte er in sein verwüstetes Elternhaus zurück. Er stellte die zerbrochenen Möbel an die Plätze, an die er sich aus seiner Kindheit erinnerte, und ließ Wodka holen. Dann schloß er sich in der Hütte ein, trank zwei Tage und zwei Nächte, sang, weinte und zerhackte mit seinem Säbel die Tische. In der dritten Nacht sah das Dorf Rauch über

Prischtschepas Haus. Versengt und zerlumpt, mit zitternden Knien, führte er die Kuh aus dem Stall, steckte ihr den Revolver ins Maul und schoß. Die Erde rauchte unter ihm, blaue Feuerringe flogen aus dem Schornstein und zerstoben, und im Stall jammerte ein verlassenes Kalb. Der Brand leuchtete wie ein Sonntag. Prischtschepa band sein Pferd los, sprang in den Sattel, riß sich ein Büschel Haare aus, warf sie ins Feuer und verschwand.

Die Geschichte eines Pferdes

Unser Divisionskommandeur Sawitzki hatte seinerzeit dem Kommandeur der Ersten Schwadron, Chlebnikow, seinen weißen Hengst weggenommen. Es war ein Pferd von imposanter Erscheinung, aber mit ungeschlachten Formen, die mir immer unproportioniert vorgekommen sind. Als Ersatz bekam Chlebnikow dafür eine schwarze Stute, ein kleines Kosaken-Vollblut. Aber er fand sich damit nicht ab, dürstete nach Rache und wartete auf seine Stunde. Und sie kam.

Nach den erfolglosen Juli-Schlachten, als man Sawitzki abgesetzt und zur Reserve geschickt hatte, schrieb Chlebnikow an den Armeestab ein Gesuch, in dem er sein Pferd zurückverlangte. Der Chef des Stabes schrieb an den Rand des Gesuches: »Der erwähnte Hengst ist dem ursprünglichen Besitzer zurückzuerstatten«, und Chlebnikow legte triumphierend hundert Werst zurück, um Sawitzki zu finden, der zu dieser Zeit in Radziwillow weilte, einem verwüsteten Städtchen, das einer zerlumpten Bettlerin glich. Sawitzki lebte ganz zurückgezogen, und die Streber von den Stäben kannten ihn nicht mehr. Sie fischten im Lächeln des Armeekommandanten nach gebratenen Hühnern, krochen vor ihm und drehten dem einst gefeierten Divisionskommandeur den Rücken.

Von Wohlgerüchen umgeben, ein Ebenbild Peters des Großen, lebte er in Ungnade, mit der Kosakin Pawla, die er dem Intendanten, einem Juden, weggenommen hatte, und mit zwanzig Vollblutpferden, die als sein Eigentum angesehen wurden. Die untergehende Sonne sandte mit letzter Kraft ihre blendenden Strahlen in seinen Hof, die Füllen saugten gierig die Milch der Stuten, und die Pferdeknechte siebten mit schweißnassen Rücken Hafer in brüchigen Worfelsieben, als Chlebnikow, wund von der Wahrheit und getrieben von Rachedurst, schnurstracks zum verbarrikadierten Innenhof ging.

»Meine Person ist Ihnen bekannt?« fragte er Sawitzki, der auf dem Heu lag.

»Ich glaube, ich hab' dich schon wo gesehen«, antwortete Sawitzki und gähnte.

»Dann lesen Sie bitte diesen Befehl des Stabschefs«, sagte Chlebnikow scharf, »außerdem muß ich Sie bitten, Genosse von der Reserve, mich als amtliche Person zu betrachten.«

»In Ordnung«, murmelte Sawitzki in beruhigendem Ton, nahm das Papier und studierte es ungewöhnlich lange. Dann rief er plötzlich die Kosakin, die sich im Schatten unter dem Vorbau kämmte.

»Pawla«, sagte er, »du kämmst dich, weiß Gott, schon den ganzen Tag. Du könntest den Samowar richten.«

Die Kosakin legte den Kamm weg, faßte ihre Haare mit beiden Händen und warf sie sich über den Rücken.

»Konstantin Wassiljewitsch, du gibst heute den ganzen Tag keine Ruhe«, sagte sie mit einem trägen und zugleich herrischen Lächeln. »Bald brauchst du das, bald dies.«

Und sie ging zu dem Divisionskommandeur, und ihre Brüste bewegten sich wie Ferkel im Sack.

»Den lieben langen Tag gibst du keine Ruhe«, wiederholte die Frau strahlend und knöpfte dem Divisionskommandeur das Hemd über der Brust zu.

»Ich sag' das, und du willst dies«, sagte der Divisionskommandeur, lachte und umarmte, sich erhebend, Pawlas Schultern, die sich hingebungsvoll an ihn drückte; dann drehte er sein plötzlich erstarrtes Gesicht Chlebnikow zu.

»Ich lebe noch, Chlebnikow«, sagte er, während die Kosakin ihn umarmte. »Noch tragen mich meine Beine, noch traben meine Pferde, noch kann mein Arm dich erreichen – denn noch halte ich meine Waffe an meinem Körper warm.«

Er zog die Pistole, die er auf seinem nackten Bauch trug, und trat auf den Kommandeur der Ersten Schwadron zu.

Dieser drehte sich auf den Fersen um, seine Sporen klirrten, er ging aus dem Hof wie eine Ordonnanz, die eine Meldung bekommen hat, und legte wieder hundert Werst zurück, um den Chef des Stabs aufzusuchen, aber der warf Chlebnikow hinaus.

»Deine Sache, Kommandeur, ist erledigt«, sagte der Chef des Stabs. »Ich habe dir deinen Hengst zugesprochen, und im übrigen habe ich gerade genug Kummer, auch ohne dich.«

Er weigerte sich, Chlebnikow weiter anzuhören, und schickte der Ersten Schwadron endlich ihren Kommandeur zurück. Chlebnikow war eine ganze Woche lang fort gewesen. In dieser Zeit waren wir in die Wälder von Dubno verlegt worden. Dort hatten wir unsere Zelte aufgeschlagen, und es ging uns gut. Chlebnikow kehrte, ich weiß es noch genau, an einem Sonntagmorgen zurück, am zwölften des Monats. Er verlangte von mir einen ganzen Stoß Papier und Tinte. Die Kosaken glätteten ihm einen Baumstumpf, darauf legte er seinen Revolver und das Papier. Er schrieb bis zum Abend und bekritzelte viele Blätter.

»Der reinste Karl Marx!« sagte am Abend der Schwadronskommissar zu ihm. »Was schreibst du da nur, um Gottes willen?«

»Ich schreibe verschiedene Gedanken nieder, im Zusammenhang mit meinem Eid«, antwortete Chlebnikow und überreichte dem Kommissar die Erklärung seines Austritts aus der Kommunistischen Partei der Bolschewiki.

»Die Kommunistische Partei«, stand in dieser Erklärung, »ist, wie ich glaube, um der Freude aller und der Verwirklichung der uneingeschränkten Wahrheit willen gegründet worden und muß daher auch den kleinen Leuten Rechnung tragen. Nunmehr komme ich zu der Frage des weißen Hengstes, den ich den konterrevolutionären Bauern des Grenzlandes abgenommen habe und der so schlecht aussah, daß viele Genossen mich seinerzeit schamlos verspotteten. Ich aber hatte die Kraft, ihr Hohngelächter zu ertragen, biß wegen der gemeinsamen Sache die Zähne zusammen, pflegte den Hengst bis zu seiner ersehnten Gesundung, denn ich habe, Genossen, eine Vorliebe für weiße Pferde, und ich verwendete darauf den Rest der Kräfte, die mir nach dem imperialistischen Krieg und dem Bürgerkrieg noch geblieben waren. Solche Hengste verstehen meine Hand, und auch ich kann ihre unausgesprochenen Wünsche spüren, aber mit der mir ungerecht aufgedrängten schwarzen Stute kann ich nichts anfangen; ich fühle nichts für sie und kann sie nicht ertragen, was alle Genossen bestätigen können, damit man mir keinen bösen Willen nachsagt. Und da mir die Partei mein Eigentum, das mir nach eindeutiger Entscheidung zusteht, nicht zurückerstatten kann, bleibt mir kein anderer Ausweg, als diese Erklärung zu schreiben, mit Tränen, die einem Kämpfer nicht ziemen, aber mir stumm aus den Augen fließen und mein Herz zerreißen, bis es blutet...«

Es stand noch vieles andere in Chlebnikows langer Erklärung, denn er hatte an ihr den ganzen Tag geschrieben. Zusammen mit dem Kommissar plagte ich mich mehr als eine Stunde, bis wir alles entziffert hatten.

»So ein Trottel!« rief der Kommissar und zerriß die Blätter. Dann wandte er sich an Chlebnikow und sagte: »Komm nach dem Abendessen zu mir, ich habe mit dir zu reden.«

»Wir haben nichts mehr zu reden«, antwortete Chlebnikow zitternd. »Du hast mich verloren, Kommissar.«

Er stand mit hängenden Armen da, ohne sich zu rühren, und blickte um sich, als suche er einen Fluchtweg. Der Kommissar näherte sich ihm, war aber nicht vorsichtig genug. Chlebnikow riß sich los und rannte aus Leibeskräften davon.

»Du hast mich verloren!« schrie er wild und stieg auf den Baumstumpf. Er fing an, sich den Rock zu zerreißen und die Brust zu zerkratzen.

»Schlag zu, Sawitzki!« schrie er und verlor den Boden unter den Füßen. »Schlag nur zu!«

Wir schleppten ihn ins Zelt, und die Kosaken halfen uns dabei. Wir kochten ihm Tee und drehten ihm Zigaretten. Er rauchte und zitterte immerzu. Erst gegen Abend beruhigte sich unser Kommandeur. Er sprach nicht mehr von seiner verrückten Erklärung, doch eine Woche später ging er nach Rowno, meldete sich bei der Ärztekommission und wurde, da er schon sechsmal verwundet war, als Invalide entlassen.

So verloren wir Chlebnikow. Ich war darüber schrecklich traurig, denn Chlebnikow war ein ruhiger Mann, und sein Charakter war meinem ähnlich. Er war der einzige in der Schwadron, der einen Samowar besaß. In den Gefechtspausen tranken wir beide heißen Tee, und er erzählte mir von Frauen, mit so viel Einzelheiten, daß ich mich schämte; zugleich aber tat es mir gut, ihm zuzuhören. Ich glaube, das kam daher, daß uns die gleichen Leidenschaften verbanden: Wir blickten in die Welt wie auf eine Wiese im Mai, eine Wiese voller Frauen und Pferde.

Konkin

»Wir schlugen die Schlachtschitzen hinter Bjelaja Zerkow, wir schlugen sie, daß die Bäume sich bogen. Bereits am Morgen bekam ich eine Schramme; ich tröstete mich aber damit, daß ich's schon aushalten würde. Ich erinnere mich: Der Tag wich schon dem Abend. Ich hatte die Verbindung mit dem Brigadekommandeur verloren, und vom gesamten Proletariat waren mir nur fünf Kosakchen geblieben. Um uns herum balgten sie miteinander wie Pope und Popin. An mir rann die Blutsuppe herunter, und mein Pferd war ganz naß. Man versteht mich schon.

Wir zogen uns also aus der Affäre, ich und Spirka Sabuty, und ritten gerade aus einem Wäldchen heraus, da sahen wir in dreihundert Meter Entfernung eine Staubwolke. Wir wußten nicht: war das der Stab oder der Troß? War es der Stab, dann war es gut, war es der Troß, war es noch besser. Die Uniformen und die Hemden der Burschen hingen in Fetzen herunter.

›Sabuty‹, sage ich plötzlich zu Spirka, ›der Teufel soll dich holen, dich und die ganze Kompanie! Hiermit erteile ich dir das Wort, du stehst jetzt auf der Rednerliste... Also sag schon: Ist das nicht der polnische Stab, der da kommt?‹

›Klar, das ist ihr Stab‹, sagt Spirka. ›Nur – wir zwei, und die da sind acht.‹

›Ach was, Spirka‹, sage ich, ›ich möchte ihnen ein bißchen ihr Gewand bekleckern... Also los, sterben wir für eine saure Gurke und die Weltrevolution!‹

Und wir ritten los. Es waren ihrer acht, mit Säbeln. Zwei schossen wir aus den Sätteln. Den dritten, sah ich, führte Spirka zu Duchonjinows Stab, um ihn ins Gebet zu nehmen. Ich hatte es auf ihren Anführer abgesehen, einen alten Mann. Ein hohes Tier war das. Er hatte eine goldene Kette und eine goldene Uhr. Ich trieb ihn zu einem Gehöft hin, das war umgeben von Apfel- und Kirschbäumen. Sein Pferd war schön wie eine Kaufmannstochter, nur müde. Auf einmal warf der Pan General die Zügel hin, zielte auf mich mit seiner Mauser und schoß mir ein Loch ins Bein.

Na schön, dachte ich. Du entkommst mir trotzdem nicht. Du wirst doch ins Gras beißen!

Ich lud neu durch und schoß zweimal. Der Hengst tat mir leid. Der war ein Roter, ein richtiger Bolschewik, ein Fuchs, rot wie Kupfer, sein Schweif war wie ein Geschoß, und seine Beine waren wie Fiedelbogen. Ich dachte mir: Das Pferd bringst du Lenin. Aber daraus wurde nichts. Ich hatte das Pferdchen liquidiert. Es fiel um wie eine Braut, und der Anführer stürzte aus dem Sattel. Er warf sich auf die Seite, drehte sich wieder um und machte mir noch ein Loch in die Figur. So hatte ich also jetzt schon drei Auszeichnungen für Taten vor dem Feind.

Jesus! dachte ich. Der wird mich doch nicht zufällig noch umbringen?

Ich stürzte mich auf ihn. Er hatte schon den Säbel gezogen, und über seine Wangen flossen Tränen, weiße Tränen, wie Muttermilch.

›An dir verdiene ich noch den Orden vom Roten Banner!‹ schrie ich. ›Du ergibst dich jetzt, hochwohlgeborener Pan, so wahr ich lebe!‹

›Das kann ich nicht, Pan‹, antwortete der Alte. ›Du wirst mich erschießen.‹

Da steht plötzlich Spirka neben mir, als wäre er aus dem

Boden gewachsen. Seine Fresse ist voll Rotz, und die Augen hängen ihm wie Fäden aus der Visage.

›Wasja!‹ schreit er mir zu. ›Du ahnst nicht, wie viele ich heute schon umgebracht habe! Und dein General hier, mit den Orden, laß den mir, den bring' ich auch noch um!‹

›Der Teufel soll dich holen!‹ sage ich böse. ›Seine Epauletten haben mich schon eine Menge Blut gekostet.‹

Und mit meiner Stute dränge ich den General in die Scheune, ich kann mich nicht erinnern, ob es dort Heu gab oder nicht. Es war still, dunkel und kalt.

›Pan‹, sage ich. ›Laß es gut sein, du bist alt genug. Ergib dich mir, um Gottes willen, dann werden wir uns ausruhen, Pan.‹

Und er steht an der Mauer, atmet schnell und wischt sich mit seinem roten Finger die Stirn.

›Ich kann nicht‹, sagt er, ›du wirst mich töten. Ich werde meinen Säbel nur Budjonny übergeben.‹

Wo soll ich ihm jetzt plötzlich Budjonny herbringen? Was für eine Plage! Und ich sehe, der Alte fällt mehr und mehr zusammen.

›Pan!‹ schreie ich und weine und knirsche mit den Zähnen. ›Auf mein proletarisches Ehrenwort: Ich bin hier der Höchste! Suche an mir keine Orden, aber ich habe einen Titel. Da ist er: Musikclown, Zauberkünstler und Bauchredner aus Nischnij Nowgorod an der Wolga.‹

Ich schäumte vor Wut. Die Augen des Generals blinkten vor mir wie Lampen. Ich war tief beleidigt, denn ich sah, daß der Alte mir nicht glaubte. Das fraß an mir wie Salz in einer Wunde. So hielt ich meinen Mund, zog meinen Bauch ein, holte tief Luft und ließ auf unsere alte Soldatenart, auf die Nischnij Nowgoroder Art, einen fahren, um dem Schlachtschitzen zu beweisen, daß ich aus dem Bauch reden konnte. Darauf erblaßte der Alte, griff sich ans Herz und setzte sich auf die Erde.

›Glaubst du jetzt Wasjka, dem Musikclown, dem Kommissar der unbesiegbaren Dritten Kavalleriebrigade?‹

›Kommissar?‹ schreit er.

›Kommissar!‹ sage ich.

›Kommunist?‹ schreit er.

›Kommunist‹, sage ich.

›Im letzten Augenblick meines Lebens‹, schreit er, ›solange ich noch nicht meine Seele ausgehaucht habe, sag mir, mein Kosakenfreund: Bist du wirklich ein Kommunist oder nicht?‹

›Ich bin ein Kommunist‹, sage ich. Darauf küßt der Alte, der auf der Erde sitzt, irgendein Amulett, bricht seinen Säbel entzwei, und die Lichter in seinen Augen blitzen wie zwei Laternen über der finsteren Steppe.

›Verzeih mir‹, sagt er. ›Einem Kommunisten kann ich mich nicht ergeben.‹ Und er reicht mir die Hand. ›Verzeih mir‹, sagt er, ›und töte mich wie einen Soldaten.‹«

Diese Geschichte erzählte uns, auf einer Rast, in seiner gewohnten spaßhaften Art, Konkin, der politische Kommissar der Kavalleriebrigade von N., dreifacher Träger des Ordens vom Roten Banner.

»Und wie hast du dich mit ihm geeinigt, Wasjka?«

»Wie kann man sich mit so einem einigen? Der alte blieb stolz. Ich verbeugte mich sogar vor ihm, aber er widersetzte sich. Da nahm ich ihm die Papiere ab, die er bei sich hatte, nahm die Mauser und das Sättelchen dieses Eigenbrötlers – der Sattel, auf dem ich noch immer reite – und dann sah ich, wie es an mir immer stärker herunterfloß, und eine schreckliche Müdigkeit überfiel mich. Meine Stiefel standen in Blut. Ich konnte nicht mehr...«

»Da habt ihr also dem Alten die Qualen abgekürzt?«

»Es war eine Sünde.«

Berestetschko

Wir zogen von Chotin nach Berestetschko. Die Männer dösten in den hohen Sätteln. Ein Lied floß müde dahin, wie ein versiegender Bach. Entstellte Leichen lagen auf den tausendjährigen Grabhügeln. Bauern in weißen Hemden zogen ihren Mützen und verbeugten sich vor uns bis zur Erde.

Die Pelerine des Divisionskommandeurs Pawlitschenko flatterte über dem Stab wie eine dunkle Fahne. Die Quaste seiner Mütze fiel ihm über den Mantel, und an seiner Seite hing wie angeklebt der krumme Säbel.

Wir ritten an den Kosakengräbern vorbei und am Wachtturm des Bogdan Chmelnitzki. Hinter dem Grabstein kroch ein Greis mit einer Bandura hervor und sang mit seiner Kinderstimme ein Lied von vergangenem Kosakenruhm. Wir hörten uns schweigend das Lied an, dann entfalteten wir die Fahnen, und unter den Klängen eines dröhnenden Marsches drangen wir in Berestetschko ein. Die Einwohner hatten ihre Fensterläden mit Eisenstäben verbarrikadiert, und Stille stieg auf den Thron der Stadt, eine alles beherrschende Stille.

Ich bekam Quartier bei einer rothaarigen Witwe. Die Wohnung war durchweht von Witwentrauer. Ich wusch mich und trat hinaus auf die Straße. Auf den Säulen klebte schon die Bekanntmachung, daß der Divisionskommissar Winogradow heute abend Bericht über den Zweiten Kongreß der Komintern erstatten werde. Gerade unter meinem Fenster waren ein paar Kosaken dabei, einen alten Juden mit silbernem Bart zu töten – wegen Spionage. Der Alte schrie und schlug um sich. Da packte Kudrja von der Maschinengewehrabteilung seinen Kopf und klemmte ihn sich unter die Achsel. Der Jude verstummte und spreizte die Beine. Kudrja zog mit der Rechten seinen Dolch und vorsichtig, ohne sich mit Blut zu besudeln, erstach er den Alten. Dann klopfte er gegen das geschlossene Fenster.

»Wenn jemand daran interessiert ist«, sagte er, »dann soll er ihn wegschaffen. Das ist erlaubt.«

Die Kosaken verschwanden um die Ecke. Ich ging ihnen nach und begann, durch Berestetschko zu irren. Die Juden sind hier in der Mehrheit. An der Peripherie leben Russen, meist Gerber. Sie wohnen in kleinen, weißen, sauberen Häusern mit grünen Fensterläden. Statt Wodka trinken die Einwohner Bier oder Met. Sie ziehen Tabak in ihren Gärten und rauchen ihn in langen Tschibuks, wie galizische Bauern. Das Zusammenleben dreier Volksteile, die alle arbeitsam und tüchtig sind, hat in ihnen einen hartnäckigen Fleiß erweckt, der den Russen manchmal eigen ist, solange sie sich nicht den Läusen, der Verzweiflung oder dem Trunk ergeben.

In Berestetschko waren die alten Bräuche noch fest verwurzelt, wie jene Bäume Wolhyniens, die schon drei Jahrhunderte hinter sich hatten, aber immer noch grünten, im lauen Moderduft der alten Zeit. Die Juden verbanden die russischen Bauern mit dem polnischen Pan, den tschechischen Kolonisten mit der Fabrik in Lodz und halfen ihnen allen verdienen. Sie waren die geschicktesten Schmuggler im Grenzgebiet und fast immer Kämpfer für den Glauben. Der chassidische Glaube hielt dieses unruhige Volk von Wirten, Fuhrleuten und Händlern in erstickendem Bann. Knaben in langen Hausmänteln gingen noch immer den uralten Weg zum chassidischen Cheder, der Talmudschule, und die alten Frauen führten immer noch die Bräute zum Zaddik mit der leidenschaftlichen Bitte um Fruchtbarkeit.

Die Juden leben hier in geräumigen Häusern, die weiß und hellblau gestrichen sind. Die traditionelle Häßlichkeit dieser Architektur ist jahrhundertealt. Hinter dem Haus befindet sich immer ein zwei Stock, manchmal auch drei Stock hoher Schuppen, in den nie ein Sonnenstrahl dringt. Diese unbeschreiblich düsteren Schuppen ersetzen die Höfe. Geheime Gänge führen in die Keller und Ställe. In Kriegszeiten verstecken sich die Bewohner in diesen Katakomben vor Kugeln und Plünderung. Dann häuft sich dort der Kot von Mensch und Tier. Furcht und Entsetzen erfüllen diese Gänge mit einem bitteren Geschmack, mit der Säure der Fäulnis.

Berestetschko stinkt bis heute beharrlich weiter, und alle Menschen riechen nach faulem Hering. Das Städtchen stank in Erwartung einer neuen Ära, und statt Menschen gingen verblaßte Schemen grenzländischen Elends um. In der Abenddämmerung hatte ich genug von ihnen. Ich verließ die Stadt und stieg auf den Hügel; ich schlich mich in das verödete Schloß der Grafen Raciborski, die bis vor kurzem die Herren von Berestetschko gewesen waren.

Der stille Sonnenuntergang färbte das Gras des Schloßparkes blau. Über dem Fischteich erschien der Mond, grün wie eine Eidechse. Vom Fenster aus sah ich das Gut der

Grafen Raciborski, Wiesen und Hopfenfelder, eingehüllt von den wehenden Nebeln der Dämmerung.

In dem Schloß hatte einst eine irre neunzigjährige Gräfin mit ihrem Sohn gewohnt. Sie verhöhnte ihren Sohn, weil er der aussterbenden Linie keinen Stammhalter gegeben hatte, und sie schlug ihren Sohn – die Bauern schworen es mir – mit der Fuhrmannspeitsche.

Unten auf dem Markt wurde die Versammlung abgehalten. Die Bauern waren gekommen, die Juden und die Gerber aus der Vorstadt, über ihren Köpfen war die begeisterte Stimme Winogradows und das Klirren seiner blinkenden Sporen. Er sprach vom Zweiten Kongreß der Komintern...

Ich aber irrte die Mauern entlang, auf denen Nymphen mit ausgeschlagenen Augen einen altertümlichen Reigen tanzten. Und ich fand in einer Ecke auf dem abgetretenen Boden das vergilbte Blatt eines Briefs. Darauf stand mit verblaßter Tinte: »Berestetschko, 1820. Paul, mon bien aime, on dit que l'empereur Napoléon est mort, est-ce vrai? Moi, je me sens bien, les couches ont été faciles, notre petit héros achève sept semaines...«*

Und unten hörte die Stimme des Divisionskommissars noch immer nicht auf. Leidenschaftlich überredete er die betrogenen Kleinbürger und die geplünderten Juden.

»Ihr seid an der Macht. Alles hier gehört euch. Es gibt keine Pans mehr. Ich schreite nun zur Wahl des Revolutionären Komitees...«

Salz

Lieber Genosse Redakteur. Ich will Ihnen von gewissenlosen Frauen Mitteilung machen, die uns Schaden zufügen. Ich hoffe, daß Sie während Ihrer Rundreise an den Bürgerkriegsfronten, über die Sie geschrieben haben, die verlas-

* »Berestetschko, 1820. Mein geliebter Paul, man sagt, der Kaiser Napoleon sei gestorben, ist das wahr? Mir geht es gut, die Entbindung war leicht, unser kleiner Held ist gerade sieben Wochen alt geworden...«

sene Eisenbahnstation Fastow nicht verfehlten, die hinter den sieben Bergen in unbekannter Ferne liegt. Ich war natürlich dort. Habe hausgebrautes Bier getrunken und meinen Schnurrbart darin getränkt, aber es wollte mir nicht die Gurgel hinunterfließen. Über die obenerwähnte Station könnte man eine Menge schreiben, aber, wie unser einfaches Volk sagt, Gottes Werke sind für uns ein Geheimnis. Deshalb werde ich Ihnen nur von dem berichten, was ich mit eigenen Augen gesehen habe.

Es war eine herrliche, ruhige Nacht, vor sieben Tagen, als unser bewährter Eisenbahnzug der Reiterarmee, mit Soldaten beladen, dort anhielt. Wir brannten darauf, zur gemeinsamen Sache etwas beizutragen, und fuhren in Richtung auf Berditschew. Aber plötzlich bemerkten wir, daß unser Zug sich nicht mehr vorwärts bewegte. Unser Gawrilka ließ den Dampf nicht an, und die Soldaten wurden unruhig und begannen sich zu erkundigen, warum wir hier steckengeblieben waren. Und tatsächlich, der Aufenthalt war angesichts der gemeinsamen Sache sehr schwerwiegend, denn die Hamsterer mit ihren Säcken, diese Schädlinge, unter denen es eine Menge Weiber gab, traten sehr frech gegen die Eisenbahnbehörden auf. Diese verbissenen Feinde klammerten sich furchtlos an die Griffstangen, kletterten blitzschnell auf die Waggondächer, trieben sich herum und brachten alles in Verwirrung. Und alle schleppten Säcke, in denen sich das so wichtige Salz befand, bis zu fünf Pud pro Sack. Aber der Triumph des Schmugglerkapitalismus hielt nicht lange an.

Durch die Initiative der Kämpfer, die aus den Waggons herauskrochen, gelang es den mißachteten Eisenbahnbehörden, wieder Atem zu holen. Auf dem Platz blieben nur die Weiber mit ihren Säcken. Aus Mitleid brachten die Kämpfer einige Frauen in den Güterwaggons unter, andere wieder nicht. So fanden sich auch in unserem Waggon des Zweiten Zugs zwei Mädchen, und als die Glocke zum erstenmal läutete, kam eine ansehnliche Frau mit einem Kind im Arm daher und sagte:

»Laßt mich, liebe Kosaken, in euren Waggon. Den ganzen Krieg lang habe ich mit meinem Säugling im Arm auf den Bahnhöfen herumgestanden, und jetzt will ich mich mit meinem Mann treffen. Aber mit der Bahn läßt man mich nicht reisen. Habe ich es denn, liebe Kosaken, nicht verdient?«

»Also gut«, sage ich zu ihr, »liebe Frau, wie der Zweite Zug entscheidet, so wird's gemacht.« Und zu den Genossen gewendet, erkläre ich, daß die ansehnliche Frau uns bittet, sie mitzunehmen, damit sie sich an einem bestimmten Ort mit ihrem Mann treffen kann, und daß sie tatsächlich ein Kind bei sich hat, und ich frage die Leute: »Sollen wir sie mitnehmen oder nicht?«

»Laß sie nur herein!« schreien die Soldaten. »Nach uns wird sie ihren Mann gar nicht mehr wollen!«

»Nein«, sage ich zu den Burschen, ganz korrekt, »eure Entscheidung in Ehren, Burschen, aber ich bin überrascht, von euch so einen Blödsinn zu hören. Erinnert euch, Soldaten, an euer Leben, als ihr selbst noch Kinder wart bei eurer Mutter, und dann werdet ihr einsehen, daß man so nicht sprechen sollte.«

Und die Kosaken sprachen miteinander darüber, daß ich – Balmaschow – eine überzeugende Rede gehalten hätte, und sie ließen die Frau in den Waggon. Sie kam herein und bedankte sich. Und alle waren von der Wahrheit meiner Worte so gerührt, daß sie miteinander wetteiferten, der Frau gefällig zu sein:

»Setzen Sie sich, liebe Frau, in die Ecke, wiegen Sie Ihr Kind, wie die Mütter es tun, niemand wird Sie dort anrühren, und Sie werden unberührt zu Ihrem Mann kommen, wie Sie es wünschen, und wir bitten Sie von Herzen, eine neue Generation aufzuziehen, denn die Alten sterben aus, und Junge gibt es wenig. Wir haben, liebe Frau, viel Elend erlebt, beim Militär und überhaupt; der Hunger hat uns gequält, und die Kälte hat uns gebrannt. Sie können hier ruhig sitzen, liebe Frau, seien Sie unbesorgt.«

Und als die Glocke zum drittenmal läutete, fuhr der Zug los. Die herrliche Nacht breitete über uns ihr Zelt aus, und die Sterne hielten Wache in diesem Zelt, und die Kämpfer erinnerten sich an die Nächte am Kuban und an die grünen Kuban-Sterne, und die Phantasie flog wie ein Vogel, und die Räder ratterten, ratterten...

Als aber die Zeit verging und die Nacht ihren Wachtposten verließ und die roten Trommler, kamen die Kosaken zu mir, denn sie sahen, daß ich schlaflos dasaß und mich quälte.

»Balmaschow«, sagen die Kosaken, »warum bist du so schlecht aufgelegt und schläfst nicht?«

»Ich verbeuge mich tief vor euch, Soldaten, und bitte euch, mir zu verzeihen. Erlaubt mir, mit dieser Bürgerin da ein paar Worte zu sprechen.«

Und ich zittere am ganzen Körper, erhebe mich von meinem Lager, von dem der Schlaf geflohen ist wie ein Wolf vor einer Schar wütender Hunde, und nehme ihr das Kind aus den Armen, reiße die Lumpen und die Windeln herab, und da kommt unter den Windeln statt eines Kindes ein Pud Salz zum Vorschein.

»Ein interessantes Kind, Genossen«, sage ich. »Es verlangt nicht nach der Brust, es macht sich nicht naß und es stört die Leute nicht im Schlaf.«

»Verzeiht mir, liebe Kosaken«, mischt sich die Frau ganz kaltblütig in unser Gespräch. »Nicht ich habe euch betrogen, mein Elend hat euch betrogen –«

»Balmaschow wird deinem Elend verzeihen«, antworte ich der Frau. »Balmaschow fällt das nicht schwer. Balmaschow verkauft zum selben Preis, wie er gekauft hat. Aber sieh dir die Kosaken an, Frau, die dich verehrt haben als eine Mutter, die sich abmüht für die Republik. Schau dir diese zwei Mädchen an, die immer noch weinen, weil sie in dieser Nacht haben dran glauben müssen. Schau dir unsere Frauen im weizenreichen Kuban-Gebiet an, die sich ohne männliche Hilfe abrackern, und diese Männer hier, die genauso einsam sind und deren hartes Schicksal es ist, Mädchen zu vergewaltigen, die ihnen ganz zufällig über den Weg laufen... Dich hingegen haben sie nicht angerührt, obwohl gerade du, schändliches Weib, ganz dafür geschaffen scheinst. Schau dir Rußland an, das an seinem Schmerz erstickt.«

Und sie antwortet mir:

»Ihr habt mir das Salz weggenommen, und nun habe ich keine Angst mehr. Ich will euch etwas sagen: Ihr denkt nicht an Rußland, ihr wollt nur die Juden Lenin und Trotzki retten.«

»Von Juden ist jetzt keine Rede, verehrte Bürgerin. Die Juden haben damit nichts zu tun. Im übrigen will ich von Lenin gar nicht sprechen, aber Trotzki ist der furchtlose Sohn des Gouverneurs von Tambow, und er hat sich, obwohl er nicht unserem Stand angehörte, für die arbeitende Klasse eingesetzt. Wie zur Zwangsarbeit Verurteilte schuften Lenin und Trotzki, um uns auf einen freien Weg ins Leben zu bringen. Sie, verabscheuungswürdige Bürgerin, Sie sind eine schlimmere Konterrevolutionärin als der weißgardistische General, der uns von seinem Pferd, das viele Tausende kostet, mit seinem scharfen Säbel droht. Der General ist ja überall deutlich zu erkennen, und der Arbeiter träumt davon, ihm den Kopf abzuschlagen, aber solche wie Sie, ihr viel zu vielen Bürgerinnen mit euren interessanten Kindern, die weder zu essen verlangen noch auf den Topf gesetzt werden müssen – euch sieht man nicht, ihr seid wie Flöhe, aber ihr wühlt und wühlt –«

Und ich gebe zu, daß ich diese Bürgerin aus dem fahrenden Zug geschmissen habe, die Böschung hinunter, aber da sie sehr kräftig gebaut war, stand sie einfach auf, putzte ihr Kleid ab und ging frech weiter. Und als ich dieses unverwüstliche Weib sah und das unendliche Rußland rund um sie und die weizenlosen Bauernäcker, die vergewaltigten Mädchen und die Genossen, von denen so viele an die Front fahren und so wenige zurückkommen, wollte ich aus dem Zug springen und entweder sie umbringen oder mich. Aber die Kosaken hatten Mitleid mit mir und sagten:

»Gib's ihr doch mit deinem Gewehr.«

Und ich nahm mein treues Gewehr von der Wand und wischte diesen Schandfleck vom Antlitz der Erde und der Republik des Arbeitervolks.

Und wir Kämpfer des Zweiten Zugs schwören vor Ihnen, teurer Genosse Redakteur, und vor euch, teure Genossen in der Redaktion, daß wir auch weiterhin mit allen Verrätern unbarmherzig verfahren werden, die uns in den Abgrund ziehen und den Fluß zurückfließen lassen wollen und Rußland mit Leichen und Unkraut bedecken möchten.

Im Namen aller Kämpfer des Zweiten Zugs – Nikita Balmaschow, Soldat der Revolution.

Abend

Ach, du Programm der Russischen Kommunistischen Partei! Durch den Sauerteig der russischen Geschichte hast du die Schienen eines Expreßzuges gestoßen. Drei ledige Herzen, leidenschaftlich wie die Rjasaner Jesus-Figuren, hast du zu Mitarbeitern an der Zeitung ›Der Rote Kavallerist‹ gemacht, du hast sie so verwandelt, daß sie jeden Tag das verwegene Blatt herausbringen können, dieses Blatt voll Tapferkeit und grober Fröhlichkeit.

Galin mit seinem kranken Auge, der schwindsüchtige Slinkin und Sytschow mit seinem zerfressenen Magen irren durch den unfruchtbaren Staub des Hinterlands und infizieren mit dem Feuer der Rebellion die Reihen der jungen Kosaken, die hier in Ruhestellung liegen, die Betrüger von der Reserve, die sich als Dolmetscher des Polnischen ausgeben, und die Mädchen, die man uns zur Erholung aus Moskau in den Zug der Politischen Abteilung geschickt hat.

Erst in der Nacht ist die Zeitung fertig, eine Zündschnur, die man unter die Armee gelegt hat. Am Himmel erlischt die schielende Laterne der Provinzsonne, und die Lichter in der Druckerei flammen trunken und zügellos wie die Leidenschaft der Maschine. Und dann, in der Abenddämmerung, steigt Galin aus dem Waggon und zittert im Schmerz seiner unerwiderten Liebe zu Irina, der Wäscherin unseres Eisenbahnzugs.

»Das letztemal«, sagt der schmalschultrige, blasse und halbblinde Galin, »das letztemal, Irina, haben wir die Erschießung Nikolaus des Blutigen erklärt, den das Proletariat von Jekaterinburg zum Tode verurteilt hat. Gehen wir jetzt zu anderen Tyrannen über, die gestorben sind wie Hunde. Peter den Dritten hat Orlow erwürgt, der Liebhaber seiner Frau. Paul wurde von der Hofkamarilla und seinem eigenen Sohn zerfleischt, Nikolaus die Knute hat sich selbst vergiftet, sein Sohn fiel am ersten März, und sein Enkel starb an Trunksucht. Das alles müssen Sie wissen, Irina.«

Und während er die Wäscherin mit seinem nackten pupillenlosen Auge voll Bewunderung ansieht, wühlt Galin unermüdlich in den Gräbern der toten Herrscher. Gebückt, im Licht des Mondes, der wie ein Stachel aus dem Himmel ragt, steht er da; die Maschinen in der Druckerei rasseln ganz nahe, und die Radiostation funkelt in reinem Licht. An die Schulter des Kochs Wassilij gedrückt, hört Irina dem dumpfen und sinnlosen Liebesgemurmel zu; über ihr, durch den dunklen Tang des Himmels, gleiten die Sterne; die Wäscherin gähnt mit ihrem schwellenden Mund, schlägt dann rasch ein Kreuz und starrt auf Galin. So betrachtet das Mädchen, das sich nach den Strapazen der Empfängnis sehnt, den Professor, der nur seiner Wissenschaft ergeben ist.

Und neben Irina gähnt der dickliche Wassilij, der wie alle Köche die Menschheit verachtet. Da die Köche viel mit dem Fleisch toter Tiere zu tun haben und mit der Gier der lebenden, suchen sie in der Politik nach Dingen, die sie nichts angehen. So auch Wassilij, Irinas großmäuliger Bezwinger. Er zieht seine Hose bis zur Brust herauf und befragt Galin über die Genealogie verschiedener Könige, über die Mitgift der Zarentöchter, und sagt dann gähnend: »Es ist Nacht, Irina. Morgen ist auch ein Tag. Gehen wir Flöhe fangen.«

Und sie schließen die Küchentür und lassen Galin allein mit dem Mond, der wie ein Stachel aus dem Himmel ragt... Und auf dem Abhang, der vom Mondlich beschienen war, saß ich neben dem verschlafenen Fischteich, mit meiner Brille, meinen Furunkeln am Hals und meinen verbundenen Beinen. Mit meinem unerleuchteten Dichterhirn brütete ich gerade über dem Klassenkampf, als Galin mit glänzenden kranken Augen auf mich zukam.

»Galin«, sagte ich, von Trauer und Einsamkeit überwältigt, »ich bin krank. Es scheint, mein Ende ist gekommen, Galin, ich bin des Lebens in der Roten Reiterarmee überdrüssig.«

»Eine Rotznase sind Sie«, antwortete Galin, und die Uhr an seinem mageren Handgelenk zeigte eine Stunde nach Mitternacht. »Eine Rotznase sind Sie, und wir sind dazu verurteilt, mit euch Rotznasen zurechtzukommen. Die ganze Partei geht in Schürzen, die mit Blut und Dreck beschmiert sind. Wir lösen euch den Kern aus der Schale. Die

Zeit wird kommen, da werdet ihr den losgelösten Kern sehen. Dann werdet ihr den Finger aus der Nase nehmen und das neue Leben in ungewöhnlicher Prosa besingen. Bis dahin solltet ihr ganz still sein, ihr Rotznasen, und uns nicht in die Quere kommen!« Er kam näher, rückte mir den Verband zurecht, der von meinen juckenden Wunden gerutscht war, und senkte den Kopf auf seine Hühnerbrust. Die Nacht tröstete uns in unserem Leid, leichter Wind umwehte uns wie Mutters Schürze, und die Gräser auf der Erde blitzten vor Frische und Feuchtigkeit.

Die Maschinen, die im Druckerei-Zug gedröhnt hatten, knirschten und verstummten. Die Morgendämmerung zog einen Strich über den Rand der Erde. Die Küchentür quietschte und öffnete sich mit einem Ruck. Zwei Paar Beine mit dicken Fersen ragten heraus, und wir erblickten Irinas reizende Waden und Wassilijs große Zehe mit dem schiefen schwarzen Nagel.

»Wassiljok«, flüsterte die Frau mit ihrer zarten, ersterbenden Stimme, »gehn Sie weg von meinem Bett, Sie Schlimmer.« Doch Wassilij zuckte nur mit der Ferse und rückte näher.

»Die Reiterarmee«, sagte dann Galin zu mir, »die Rote Reiterarmee ist ein sozialer Brennpunkt, geschaffen vom Zentralkomitee der Partei. Die Revolution hat in die erste Reihe die freien Kosaken geworfen, die noch in den Banden der verschiedensten Vorurteile liegen; aber das Zentralkomitee ist auf der Wacht und wird mit eisernem Besen säubern...«

Und Galin begann von der politischen Erziehung in der Reiterarmee zu sprechen. Er sprach lange, heiser und sehr exakt. Das Lid über seinem kranken Auge zitterte, und von seinen zerschundenen Handflächen floß Blut.

Afonjka Bida

Wir schlugen uns bei Leschnjow. Ringsum die Mauer der feindlichen Kavallerie. Die Stahlfeder der polnischen Strategie spannte sich mit einem unheilverkündenden Kreischen. Sie umzingelten uns. Zum erstenmal während des ganzen Feldzugs spürten wir an unserem eigenen Leib die teuflische Wirkung der Angriffe im Rücken und der Stöße von den Flanken – erbarmungslose Schläge derselben Waffe, die wir so lange erfolgreich benutzt hatten.

Die Front bei Leschnjow hielt die Infanterie. In den krummen Gräben lungerten blasse, barfüßige wohlhynische Bauern. Sie waren erst gestern von ihrem Pflug gerissen worden, um die Infanteriereserve der Reiterarmee zu bilden. Aber diese Bauern kämpften gern und schlugen sich wie die Wilden. Ihre wutschnaubende bäuerliche Grausamkeit rief sogar bei Budjonnys Soldaten Verwunderung hervor. Ihr Haß gegen die polnischen Großgrundbesitzer war aus unsichtbarem, aber erstklassigem Material.

In der zweiten Phase des Krieges, als unser Gebrüll keinen Eindruck auf den Feind mehr machte und Kavallerieangriffe auf den eingegrabenen Feind unmöglich wurden, hätte diese originelle Infanterie der Reiterarmee von größtem Nutzen sein können. Aber unsere Armut war zu groß. Nur jeder dritte Bauer bekam ein Gewehr und Patronen, die nicht dazupaßten. So mußte der Plan wieder aufgegeben und diese Volksarmee nach Hause geschickt werden.

Doch kehren wir zur Schlacht bei Leschnjow zurück. Die Infanterie hatte sich drei Werst vom Städtchen entfernt eingegraben. Vor ihrer Stellung stolzierte ein gebückter, bebrillter junger Mann umher, und der Säbel an seiner Seite schleifte auf der Erde. Er bewegte sich mit hüpfenden Schritten fort, als trete man ihm immerzu auf die Stiefel. Dieser ländliche Hetman, den die Bauern gewählt hatten und den sie liebten, war ein kurzsichtiger jüdischer Jüngling mit dem eingefallenen und konzentrierten Gesicht eines Talmudschülers. Im Kampf zeigte er umsichtigen Mut und eine Kaltblütigkeit, die an die Entrücktheit eines Schwärmers erinnerte.

Zwei Stunden des langen Julitages waren schon vergangen. In der Luft flimmerte in allen Regenbogenfarben das Spinngewebe der Hitze. Hinter den Hügeln leuchteten die feierlichen Farben von Monturen und mit bunten Bändern geschmückten Pferdemähnen auf. Der junge Mann gab das Zeichen zur Gefechtsbereitschaft. Die Bauern schlurften auf ihren schlechten Schuhen davon, krochen auf ihre Plätze und ergriffen die Gewehre. Aber es war blinder Alarm. Auf der Leschnjower Straße erschienen Maslaks bunte Schwadronen. Die mageren, aber munteren Pferde griffen weit aus. An vergoldeten Stangen mit Samtquasten flatterten prunkvolle Fahnen durch glühende Staubwolken. Die Reiter ritten majestätisch dahin, mit herausfordernder Kaltblütigkeit. Die zerlumpten Infanteristen verließen ihre Stellungen und betrachteten mit aufgerissenen Mündern die geschmeidige Grazie dieser gezähmten Flut.

Auf einer krummbeinigen Steppenstute ritt vor seinem Regiment der Brigadekommandeur Maslak, durchströmt von trunkenem Blut und fetten, faulenden Säften. Sein Bauch lag wie ein riesiger Kater auf dem Bug des silberbeschlagenen Sattels. Als er die Infanterie erblickte, wurde sein Gesicht rot vor Freude, und er rief Afonjka Bida, den Zugführer, zu sich. Wir nannten ihn Machno, weil er dem berühmten Väterchen Machno ähnlich sah. Sie flüsterten einen Augenblick miteinander, der Kommandeur und Afonjka, dann wandte sich der Zugführer zur Ersten Schwadron, beugte den Kopf und gab leise das Kommando: »Trab!« Die Kosaken setzten ihre Pferde zugweise in Trab. Sie ließen ihre Pferde in Galopp fallen und stürmten gegen die Gräben vor, aus denen die von diesem Schauspiel verwirrte Infanterie sie verblüfft anstarrte.

»Bereit zum Gefecht!« sang die traurige und wie aus weiter Ferne kommende Stimme Afonjkas.

Schnaufend und prustend ritt Maslak zur Seite und weidete sich an dem Anblick, während die Kosaken zur Attacke übergingen. Die armseligen Infanteristen fingen an zu laufen, aber zu spät. Die Kosakenpeitschen durchkämmten schon ihre lumpigen Uniformen. Die Reiter ließen ihre Pferde über das Feld tänzeln und fuchtelten ungewöhnlich geschickt mit ihren Säbeln.

»Was ist das für ein Blödsinn?« schrie ich Afonjka zu.

»Nur Spaß!« antwortete er mir, rutschte auf seinem Sattel herum und zog aus einem Gebüsch einen Burschen, der sich dort versteckt hatte.

»Zum Spaß«, schrie er und kitzelte den halb ohnmächtigen Burschen mit seinem Säbel.

Die Vorstellung ging erst zu Ende, als Maslak, in majestätischer Pose, mit seiner dicken Hand abwinkte.

»Infanteristen, wo wollt ihr denn hin?« schrie Afonjka und richtete anmaßend seinen schwächlichen Körper auf. »Seid ihr Flöhe suchen gegangen, ihr von der Infanterie?«

Lachend formierten sich die Kosaken wieder in Reih und Glied. Von der Infanterie war keine Spur zu sehen. Die Gräben waren leer. Nur der gebückte Jude stand auf seinem alten Platz und betrachtete scharf und hochmütig durch seine Brille die Kosaken.

Der Gefechtslärm bei Leschnjow hörte nicht auf. Die Polen kreisten uns mehr und mehr ein. Durch das Fernglas konnte man die Silhouetten einzelner Kavallerie-Aufklärer sehen. Sie kamen aus dem Städtchen geritten und verschwanden wieder. Maslak stellte seine Schwadron auf und verteilte sie rechts und links von der Straße. Über Leschnjow wölbte sich ein strahlender Himmel, der unsagbar leer war, wie immer in Augenblicken der Gefahr. Mit zurückgeworfenem Kopf pfiff der Jude laut und schrill auf seiner Metallpfeife, und die Infanteristen kehrten in ihre Stellungen zurück, aus denen sie eben erst herausgeprügelt worden waren.

Kugeln flogen in dichten Schwärmen auf uns zu. Der Brigadestab geriet in das Schußfeld eines Maschinengewehrs. Wir stürzten in den Wald und begannen, uns durch das Gestrüpp rechts von der Straße durchzuschlagen. Abgeschossene Zweige knackten verwirrend über unseren Köpfen. Als wir uns durch das Gestrüpp hindurchgekämpft hatten, waren die Kosaken nicht mehr an der früheren Stelle. Auf Befehl des Divisionskommandeurs zogen sie sich gegen Brody zurück. Nur die Bauern antworteten aus ihren Gräben von Zeit zu Zeit mit vereinzelten Schüssen, und Afonjka, der zurückgeblieben war, ritt seinem Zug nach.

Er ritt am Straßenrand, drehte sich um und schnupperte in die Luft. Das Feuer verstummte für einen Augenblick. Dem Kosaken kam der Einfall, diese Feuerpause auszunützen, und er trieb sein Pferd zum Galopp. In diesem Moment traf eine Kugel den Hals seines Pferdes. Afonjka ritt noch hundert Schritt weiter, und gerade, als er unsere Reihen erreicht hatte, knickten die Vorderbeine des Pferdes zusammen und es stürzte zu Boden.

Afonjka zog langsam seinen eingequetschten Fuß aus dem Bügel. Er hockte sich nieder und bohrte mit seinem kupferfarbenen Finger in der Wunde. Dann richtete sich Bida auf und sah mit müdem Blick auf den glänzenden Horizont.

»Leb wohl, Stjepan«, sagte er mit hölzerner Stimme, trat von dem Tier, das im Sterben lag, zurück und verbeugte sich tief vor ihm. »Wie soll ich ohne dich in unser stilles Dorf zurückkehren? Wo soll ich hin mit deinem gestickten Sättelchen? Leb wohl, Stjepan«, wiederholte er lauter, schluckte, quietschte erst wie eine gefangene Maus und brüllte dann auf. Sein unartikuliertes Gebrüll drang zu uns, und wir sahen, daß Afonjka mit dem Kopf gegen die Erde schlug, wie eine besessene Frau in der Kirche. »Ich werde mich nicht in mein bitteres Schicksal ergeben«, brüllte er und löste die Hände von seinem leichenblassen Gesicht. »Von nun an bringe ich die verfluchten Schlachtschitzen ohne Erbarmen um! Ich werde sie in ihr Herz treffen, mitten hinein in ihr verdammtes blutiges Herz! Das schwöre ich dir, Stjepan, hier vor den lieben Brüdern und Landsleuten!«

Afonjka legte sein Gesicht auf die Wunde und verstummte. Das Pferd richtete sein glänzendes, tiefes, violettes Auge auf seinen Herrn und hörte Afonjkas rasendes Schluchzen. Mit einem kaum hörbaren Todesröcheln rieb es seinen Kopf an der Erde, während zwei Blutströme wie zwei rubinrote Bänder über die weiße, muskulöse Brust schossen.

Afonjka lag unbeweglich da. Maslak trat mit seinen dikken Beinen langsam auf das Pferd zu, setzte ihm die Pistole ins Ohr und feuerte. Afonjka sprang auf und drehte Maslak sein blatternarbiges, entsetztes Gesicht zu.

»Nimm dein Sattelzeug, Afonjka«, sagte Maslak freundlich, »und geh zu deiner Einheit.«

Und wir sahen vom Hügel aus, wie Afonjka, gebückt unter der Last des Sattels, mit einem Gesicht, das naß war und rot wie frischgehacktes Fleisch, schwankend zu seiner Schwadron ging, unendlich einsam in der staubig entflammten Wüste der Felder.

Spätabends traf ich ihn beim Troß. Er schlief auf dem Wagen, in dem seine Besitztümer aufbewahrt waren: Säbel, Kleidung und kleine, durchlöcherte Goldmünzen. Der blutverkrustete Kopf des Zugführers hing mit schiefem, verzerrtem Mund wie der eines Gemarterten über dem Bogen des Sattels. Neben ihm lag das Geschirr des getöteten Pferdes, das verzierte, phantasievolle Geschirr eines Kosaken-Rennpferdes – Brustriemen mit schwarzen Quasten, geschmeidige Schwanzriemen, die mit farbigen Fäden und Steinen bestickt waren, und Zügel mit Silberplatten.

Die Dunkelheit hüllte uns immer mehr ein. Der Troß zog sich über die Straße von Brody hin; winzige Sterne wanderten über die Milchstraße, und ferne Dörfer brannten in der kühlen Tiefe der Nacht. Der stellvertretende Schwadronskommandeur Orlow und der schnurrbärtige Bizenko saßen auf Afonjkas Wagen und unterhielten sich über Afonjkas Unglück.

»Er hat das Pferd von zu Hause mitgebracht«, sagte der schnurrbärtige Bizenko. »Wo soll er jetzt ein solches Pferd finden?«

»Das Pferd ist ein Freund«, antwortete Orlow.

»Das Pferd ist wie ein Vater«, sagte Bizenko und seufzte. »Es rettet einem immer wieder das Leben. Bida wird ohne sein Pferd zugrunde gehn.«

Am nächsten Morgen war Afonjka verschwunden. Die Schlacht bei Brody begann und ging zu Ende. Die vorläufige Niederlage verwandelte sich in Sieg, und wir erlebten, wie der Divisionskommandeur abgelöst wurde. Aber Afonjka kam noch immer nicht. Nur das drohende Murren in den Dörfern, der Nachhall seiner bösen und rachsüchtigen Beutezüge, bezeichnete seinen Weg.

»Er sucht ein Pferd«, sagte man in der Schwadron über den Zugführer, und an den endlosen Abenden unserer Irrwege vernahm ich verschiedene Geschichten über seine dumpfen, grausamen Plünderungen.

Soldaten von anderen Einheiten begegneten Afonjka zehn Werst von unserer Stellung entfernt. Er saß im Hinterhalt und lauerte auf versprengte polnische Kavalleristen; er trieb sich in den Wäldern umher, auf der Suche nach versteckten Bauernpferden, er zündete Dörfer an und erschoß polnische Bürgermeister wegen Hehlerei. Gespannt hörten wir das Echo dieses zornigen Alleingangs, der verzweifelten und räuberischen Überfälle eines einsamen Wolfs auf eine riesige Herde.

Noch eine Woche ging vorbei; neue bittere Ereignisse brannten die Erinnerung an die Geschichte von Afonjkas düsterer Kühnheit aus unserem Gedächtnis: So geriet »Machno« in Vergessenheit. Dann hörten wir, daß galizische Bauern ihn irgendwo in den Wäldern erschlagen hätten, und am Tag unseres Einzugs in Berestetschko ging Jemeljan Budjak aus der Ersten Schwadron zum Divisionskommandeur, um von ihm Afonjkas Sattel mit der gelben Decke zu erbitten. Jemeljan wollte mit dem neuen Sattel bei der bevorstehenden Parade erscheinen, aber es kam nicht dazu.

Am 6. August zogen wir in Berestetschko ein. An der Spitze unserer Division ritt der neue Kommandeur, er trug einen Tatarenkaftan und eine rote Kosakenweste. Hinter ihm führte Ljowka, ein liebedienerischer, verrückter Bursche, eine rassige Stute. Die langgezogenen Drohungen des Militärmarsches hallten in den armseligen, bizarren Straßen. Winklige Seitengassen, ein malerischer Wald verfallener und verborgener Stege, zogen sich durch das ganze Städtchen hin. Sein Herz, von der Zeit zerfressen, hauchte uns traurige Fäulnis zu. Schmuggler und Hehler verbargen sich in ihren geräumigen, dunklen Häusern. Nur Pan Ludomirski, der Glöckner im grünen Mantel, empfing uns vor der Kirche.

Wir setzten über den Fluß und erreichten das Stadtviertel, in dem das Haus des polnischen Priesters stand, als auf einem hochgewachsenen grauen Hengst Afonjka um die Ecke geritten kam.

»Meine Verehrung!« sagte er mit einer bellenden Stimme,

drängte sich durch die Soldaten und nahm seinen Platz in den Reihen ein.

Maslak starrte in farblose Fernen und sagte knurrend, ohne sich umzudrehen: »Woher hast du das Pferd?«

»Es gehört mir persönlich«, antwortete Afonjka, drehte sich eine Zigarette und befeuchtete sie mit einer kurzen Zungenbewegung.

Die Kosaken ritten nacheinander auf ihn zu und reichten ihm die Hand. Statt des linken Auges glänzte in seinem wie verkohlten Gesicht eine furchtbare riesige Schwellung.

Am nächsten Morgen soff Bida sich voll. Er zerbrach in der Kirche den Sarg des Sankt Valentin und versuchte, auf der Orgel zu spielen. Er trug einen Rock, der aus einem blauen Teppich geschneidert war, auf dem Rücken befand sich eine gestickte Lilie, und sein verschwitzter Haarschopf war über das ausgeschlagene Auge gekämmt.

Nach dem Mittagessen sattelte er sein Pferd und feuerte einen Schuß in eins der eingeschlagenen Fenster im Schloß der Grafen Raciborski. Die Kosaken bildeten einen Halbkreis um ihn. Sie zogen den Hengst am Schwanz, betasteten seine Beine und zählten seine Zähne.

»Ein prächtiges Pferd!« sagte Orlow, der stellvertretende Schwadronskommandeur.

»Ein gutes Pferd!« bestätigte der schnurrbärtige Bizenko.

Bei Sankt Valentin

Gestern abend hat unsere Division Berestetschko eingenommen. Der Stab hat sich im Haus des Pfarrers Tuzinkevicz einquartiert. Vor dem Einzug unserer Truppen war Tuzinkevicz in Frauenkleidern aus Berestetschko geflohen. Von ihm weiß ich, daß er sich fünfundvierzig Jahre in Berestetschko für den lieben Gott geplagt hat und daß er ein guter Priester gewesen ist. Wenn die Einwohner uns dies begreiflich machen wollen, dann sagen sie: Er hat die Juden gern gehabt. Zu Tuzinkevicz' Zeit ist die uralte Kirche renoviert worden, und gerade am Tag der Dreihundertjahrfeier der Kirche waren die Reparaturen fertig. An diesem Tag kam der Bischof von Schitomir, begleitet von Prälaten in roten Seidenmänteln, und zelebrierte vor der Kirche die Messe. Gewichtig standen sie da, wie Glocken im taugetränkten Gras. Ströme von Gläubigen fluteten aus den Nachbardörfern. Die Bauern beugten ihre Knie, küßten die Hände, und am Himmel flammten an diesem Tage seltsame Wolken. Die Himmelsfahnen wehten zu Ehren dieser alten Kirche. Der Bischof küßte Tuzinkevicz auf die Stirn und nannte ihn Vater von Berestetschko – Pater Beresteckae.

Das alles erfuhr ich am Morgen im Stab, wo ich den Bericht unseres Vortrabs durchging, der in Richtung Lwow im Bezirk Radzichow rekognoszierte. Das Schnarchen der Ordonnanzen hinter meinem Rücken erinnerte mich an unser Zigeunerleben. Die Schreiber, feucht vor Schlaflosigkeit, schrieben die Befehle des Divisionsstabs, aßen Gurken und niesten. Ich war erst gegen Mittag frei, trat ans Fenster und erblickte die Kirche von Berestetschko, majestätisch und weiß. Sie glänzte in der lauen Sonne wie ein Turm aus Fayence. Nachmittagsblitze fuhren über ihre leuchtenden Mauern, deren gewölbte Linien von dem uralten, grünen Turm in milden Bogen abfielen. Rötliche Adern pulsten im weißen Stein, und zum Himmel ragten Säulen, schlank wie Kerzen.

Dann klang Orgelmusik auf, und im selben Augenblick erschien in der Tür des Stabsquartiers eine Greisin mit hängendem gelbem Haar. Sie humpelte wie ein Hund mit verletzter Pfote, schwankte und knickte ein. In ihren Augen standen Tränen und die weiße Feuchtigkeit der Blindheit. Die Orgelmusik rauschte uns, bald langsam, bald schnell, wie eine Flut entgegen. Ihr Flug war schwer und ihr Widerhall traurig und langgezogen. Die Greisin wischte sich die Tränen mit ihren gelblichen Haaren ab, setzte sich auf die Erde und begann, mir die Stiefel bei den Knien zu küssen. Die Orgel verstummte und dröhnte dann im Baß. Ich nahm die Alte an der Hand und drehte mich um. Die Schreiber klapperten auf den Maschinen, und die Ordonnanzen schnarchten immer stärker und zerrissen mit den Sporen den Filz unter den samtenen Überzügen der Diwans. Die

Greisin umarmte meine Stiefel wie ein Kind und küßte sie zärtlich. Ich zog sie zum Ausgang und schloß die Tür hinter mir ab. Vor mir erhob sich die Kirche, zauberhaft wie eine Theaterdekoration. Ihre Seitenpforte war offen, und auf den Gräbern polnischer Offiziere lagen Pferdeschädel.

Wir liefen in den Hof, gingen durch den dunklen Gang und gelangten in einen viereckigen Raum neben dem Altar. Dort war Saschka, die Krankenschwester des Einunddreißigsten Regiments, an der Arbeit. Sie wühlte in der Seide, die jemand auf den Boden geworfen hatte. Der Totengeruch des Brokats, der verstreuten Blumen und der Moderluft drang ihr in die zitternden Nasenflügel, bedrängte sie und betäubte sie beinahe. Dann kamen ein paar Kosaken in den Raum. Sie kicherten, packten Saschka an der Hand und warfen sie in einem Schwung auf die Stoffe und Bücher. Saschkas blühender Körper, der nach dem frischen Fleisch einer eben geschlachteten Kuh roch, wurde entblößt, unter den zurückgeworfenen Schürzen zeigten sich die muskulös-schlanken Beine der Schwadronsdame, und Kurdjukow, der verrückte Bursche, setzte sich auf Saschka, hüpfte auf ihr wie im Sattel und tat so, als hätte ihn gerade die Leidenschaft gepackt. Sie schüttelte ihn ab und stürzte zur Tür, und gerade da gingen wir am Altar vorbei und gelangten in die Kirche.

Die Kirche war voller Licht, voll tanzender Strahlen, luftiger Säulen, voll einer kühlen Fröhlichkeit. Wie könnte ich das Bild an der rechten Seite des Altars vergessen, das Apolek gemalt hatte? Auf diesem Bild küßten zwölf rosafarbene Priester das kleine pausbäckige Jesuskind, das in einer mit Bändern umwickelten Wiege lag. Seine Zehen waren gespreizt, und sein Körper glänzte vor heißem Morgenschweiß. Das Kind lag zappelnd auf seinem runden Rükken, und die zwölf Apostel in Kardinalstiaren beugten sich über die Wiege. Ihre Gesichter schienen bläulich vom Rasieren, und sie waren wohlbeleibt unter ihren flammenden Mänteln. Die Augen der Apostel strahlten Weisheit, Gewißheit und Freude aus, und ein zartes Lächeln lag in ihren Mundwinkeln, und auf dem Doppelkinn sprossen ihnen kleine Warzen, rötlich wie Radieschen im Mai.

In dieser Kirche von Berestetschko herrschte eine eigene,

zauberhafte Anschauung von den Todesqualen der Menschenkinder. Hier gingen die Heiligen mit der malerischen Geste italienischer Sänger in den Tod, und die schwarzen Haare der Henker glänzten wie der Bart des Holofernes. Gleich über dem Altar bemerkte ich ein lästerliches Porträt Johannes des Täufers, das dem unbotmäßigen und hinreißenden Pinsel Apoleks entstammte. Auf diesem Fresko strahlte der Täufer jene doppelsinnige, unbeschreibliche Schönheit aus, um derentwillen die Konkubinen der Könige ihre halb verlorene Ehre und ihr verblühendes Leben ganz zu verlieren bereit waren.

Von der Erinnerung an meinen Traum, an Apolek, berauscht, bemerkte ich die Spuren der Zerstörung in der Kirche zuerst gar nicht. Nur der Sarg des heiligen Valentin war zerbrochen. Unter ihm lagen Stücke vergilbter Watte und bizarre Knochen, die Hühnerknochen ähnlich sahen. Und Afonjka Bida spielte noch immer die Orgel. Er war betrunken, wild und wund. Erst gestern war er mit dem Pferd, das er Bauern abgenommen hatte, zurückgekehrt. Afonjka versuchte hartnäckig, auf der Orgel einen Militärmarsch zu spielen, aber jemand verwies ihm das mit schläfriger Stimme: »Laß das, Afonjka! Gehen wir essen.« Doch der Kosak hörte nicht auf, und er spielte viele Lieder. Jeder Ton war ein Lied, und die Töne paßten nicht zusammen. Die Melodie dauerte nur für einen Augenblick und ging in eine andere über. Ich hörte zu, sah mich um, und die Spuren der Zerstörung schienen mir unbedeutend. Aber Ljudomirski, der Glöckner der Kirche Sankt Valentin, der Mann der blinden Greisin, war nicht derselben Meinung.

Ljudomirski trat mit gemessenem Schritt und gesenktem Kopf in die Kirche. Der Greis konnte sich nicht entschließen, über die vertreuten Gebeine eine Decke zu werfen, weil es einem gewöhnlichen Menschen nicht erlaubt war, das Heiligtum zu berühren. Der Glöckner stürzte auf die bläulichen Steinplatten des Bodens; er hob den Kopf, und seine bläuliche Nase ragte über den Boden wie die Fahne über einem Toten. Seine bläuliche Nase zitterte über dem Boden, und in demselben Augenblick raschelte der Samtvorhang neben dem Altar und glitt bebend zur Seite. In der Tiefe der Nische, vor einem von Wolken durchfurchten blauen Himmel, erschien eine bärtige Silhouette in einem orangefarbenen Polenrock, barfuß, mit aufgerissenem Mund, aus dem Blut floß. Dann drang mir ein heiserer Schrei in die Ohren. Wir wichen ungläubig vor dem Gesicht des Grauens zurück, doch das Grauen ging uns nach und griff mit Totenhänden an unser Herz. Ich sah: Den Mann im orangefarbenen Polenrock verfolgte der Haß, und die Meute hatte ihn überwältigt. Er krümmte den Arm, um einen Schlag abzuwehren, und aus seiner Hand schoß in einem purpurnen Strahl das Blut. Der kleine Kosak, der neben mir stand, schrie und begann, mit gesenktem Kopf zu laufen, obwohl er keinen Grund hatte, davonzulaufen: Die Silhouette in der Mauernische war Jesus Christus – das ungewöhnlichste Bild des Gottessohnes, das ich je in meinem Leben gesehen hatte.

Der Erlöser Pan Ljudomirskis war ein junger, lockiger Jude mit zerzaustem Bart und niedriger, gefurchter Stirn. Seine eingefallenen Wangen waren karminrot, und über seinen vor Schmerz geschlossenen Augen wölbten sich die Bogen der zarten, rötlichen Augenbrauen.

Sein Mund war aufgerissen wie ein Pferdemaul, seine Polenjacke wurde von einem kostbaren Gürtel festgehalten, und unter dem Mantel krümmten sich porzellanweiße Füße, barfuß und von Silbernägeln durchbohrt.

Pan Ljudomirski stand in seinem grünen Mantel vor der Statue. Er hob seine welke Hand gegen uns und verfluchte uns. Die Kosaken rissen die Augen auf und ließen ihre strohgelben Schöpfe hängen. Der Glöckner der Sankt-Valentins-Kirche schrie uns mit einer Donnerstimme sein Anathema zu, in reinstem Latein. Dann wandte er sich von uns ab, fiel auf die Knie und umarmte die Füße des Erlösers.

In den Stab zurückgekehrt, schrieb ich an den Divisionskommandeur einen Bericht über die Verletzung der religiösen Gefühle der einheimischen Bevölkerung. Es wurde befohlen, die Kirche zu schließen und die Schuldigen nach einer disziplinarischen Untersuchung dem Kriegsgericht zu übergeben.

Schwadronskommandeur Trunow

Mittags brachten wir die von Schüssen durchsiebte Leiche unseres Schwadronskommandeurs Trunow nach Sokalj. Er war am Morgen im Kampf gegen feindliche Flugzeuge gefallen. Alle Schüsse hatten ihn ins Gesicht getroffen, seine Wangen waren von Wunden übersät, seine Zunge war herausgerissen. Wir wuschen das Gesicht des Toten, so gut wir konnten, damit es weniger schrecklich aussehe, legten den kaukasischen Sattel ans Kopfende des Sargs und gruben für Trunow ein Grab an einem würdigen Platz, in einem Park im Zentrum der Stadt, neben der Kirche. Dort versammelte sich unsere Schwadron zu Pferde, der Regimentsstab und der Divisionskommissar, und als es von der Kirche zwei Uhr schlug, feuerte unsere Kanone Salut. Mit ihrem Kaliber von alten drei Zoll entbot sie dem toten Kommandeur den letzten Gruß, und wir trugen den Sarg zum offenen Grab. Der Sargdeckel stand offen, die reine Mittagssonne warf ihre Strahlen auf den langgestreckten Leichnam, auf den Mund mit den zerschlagenen Zähnen und auf die blankgeputzten Stiefel, deren Absätze aneinandergepreßt waren, als ob sie strammstünden.

»Soldaten!« sagte Pugatschow, der Regimentskommandeur, der am Grab stand und auf den Toten hinuntersah, »Soldaten«, sagte er, erzitterte und erstarrte, »wir begraben Paschka Trunow, einen Helden der Welt, wir erweisen Paschka die letzte Ehre.«

Und während er mit seinen vor Schlaflosigkeit entzündeten Augen zum Himmel starrte, hielt Pugatschow eine Rede über die Toten der Ersten Reiterarmee und über diese stolze Phalanx, die mit dem Hammer der Geschichte auf den Amboß künftiger Jahrhunderte einschlage. Pugatschow schrie seine Rede zu Ende und umklammerte den Griff seines krummen kaukasischen Säbels. Unter seinen zerrissenen Stiefeln mit den silbernen Sporen bröckelte Erde ab und fiel ins Grab. Nach seiner Rede spielte die Kapelle die Internationale, und die Kosaken nahmen Abschied von Paschka Trunow. Die ganze Schwadron saß auf und feuerte eine Salve in die Luft. Unsere dreizöllige Kanone donnerte zum zweitenmal, und wir schickten drei Kosaken um den Kranz. Sie stoben los, feuerten im Galopp ihre Gewehre ab, ließen sich aus den Sätteln gleiten und sprangen wieder auf. Dann brachten sie einen Strauß roter Blumen. Pugatschow streute die Blumen neben das Grab, und wir traten nacheinander an Trunow heran, zum letzten Kuß. Ich kam als einer der letzten dran, berührte mit den Lippen die blasse Stirn, die vom Sattel umrahmt war, und ging in die Stadt, in das gotische Sokalj, das in blauem Staub und in unwiderstehlicher galizischer Trauer dalag.

Der große Platz lag links vom Park und erstreckte sich bis zu den uralten Synagogen. Auf diesem Platz stritten Juden in zerrissenen Kaftanen und stießen einander in sonderbarer Besessenheit. Ein Teil von ihnen, die Orthodoxen, priesen die Lehre des Adassija, Rabbi von Belz, weshalb sie von den gemäßigten Chassidim, den Anhängern des Rabbi Juda von Chusjatin, angegriffen wurden. Die Juden stritten über die Kabbala, und in ihrem Streit fiel der Name des Elia, Gaon von Wilna, der die Chassidim verfolgt hatte.

»Elia!« schrien sie und rissen ihre Münder auf, die von dichten Bärten umwachsen waren. Die Chassidim vergaßen den Krieg und die fernen Schüsse und verfluchten den Namen des Elia, des Gaon von Wilna. Und ich, von Trauer um Trunow durchdrungen, ging unter ihnen umher, und um meinen Schmerz zu vergessen, schrie ich zusammen mit ihnen, bis ich vor mir einen Galizier sah, der lang und leichenblaß war wie Don Quijote.

Dieser Galizier hatte ein weißes Leinenhemd an, das ihm bis zu den Fersen reichte. Er war gekleidet wie zum Begräbnis oder zur Kommunion und führte an einem Strick eine magere Kuh. Auf seinem riesenlangen Körper saß ein lebhafter, winziger Schlangenkopf, der mit einem breitkrempigen Bauernstrohhut bedeckt war und wackelte. Die armselige Kuh ging am Strick hinter dem Galizier her, er führte sie mit Würde und ragte mit seinen langen Knochen wie ein Galgen in den Glanz des Himmels.

Mit feierlichen Schritten überquerte er den Platz und trat in eine winklige Gasse voll dichtem Rauch, der Brechreiz hervorrief. In den rußigen Häuschen, in den elenden Küchen, walteten Jüdinnen, die alten Negerinnen glichen mit riesigen Brüsten. Der Galizier ging an ihnen vorbei und blieb am Ende der Gasse stehen, vor der Fassade eines zerstörten Gebäudes. Dort, vor einer schiefen weißen Säule, saß der Schmied, ein Zigeuner, und beschlug ein Pferd. Der Zigeuner schlug mit dem Hammer auf den Huf, ließ seine fettigen Haarsträhnen flattern, pfiff und lächelte vor sich hin. Um ihn herum standen einige Kosaken mit ihren Pferden. Mein Galizier trat auf den Schmied zu, reichte ihm schweigend ein Dutzend gebratener Kartoffeln und kehrte wieder um, ohne irgend jemanden anzusehen. Ich wollte ihm nachgehen, um zu ergründen, was für ein Mensch er war und wie er hier in Sokalj lebte, aber ein Kosak, der mit seinem Pferd aufs Beschlagen wartete, hielt mich zurück. Dieser Kosak hieß Seliwerstow. Er hatte vor einiger Zeit Machno verlassen und diente jetzt im Dreiunddreißigsten Kavallerieregiment.

»Ljutow«, sagte er und reichte mir die Hand. »Du fällst unangenehm auf. In dir muß der Teufel stecken, Ljutow. Warum bist du heute morgen auf Trunow losgegangen?«

Damit gab er ein blödes Gerücht wieder, das er gehört hatte, und wonach ich heute morgen meinen Kommandeur Trunow geschlagen haben sollte. Seliwerstow warf mir vor allen Kosaken Beschimpfungen an den Kopf, aber an seinem Gerede war kein wahres Wort. Ich hatte tatsächlich an diesem Morgen Streit mit Trunow angefangen, weil Trunow die Gefangenen entsetzlich quälte. Ich hatte mit ihm Streit angefangen, aber er, Paschka, war gestorben, und auf Erden gab es niemanden, der ihn richten konnte: Ich war sein letzter Richter gewesen.

Zu unserem Streit aber war es so gekommen:

Die Gefangenen von heute hatten wir im Morgengrauen beim Dorf Zawody eingebracht. Es waren zehn. Als wir sie gefangennahmen, waren sie nur in Unterwäsche. Ein Haufen Uniformen lag neben den Polen. Das war eine List: Sie warfen vor der Gefangennahme ihre Uniformen weg, damit man die Offiziere nicht von den einfachen Soldaten unterscheiden könne. Aber Trunow war entschlossen, die Wahrheit herauszubringen.

»Offiziere vortreten!« kommandierte er, trat auf die Gefangenen zu und zog seine Pistole.

Trunow hatte an diesem Morgen eine Kopfwunde davongetragen. Sein Kopf war mit einem Lappen umwikkelt, aber das Blut rann herab wie Wasser vom Mühlenrad.

»Offiziere, meldet euch!« schrie er und begann, auf die Gefangenen mit dem Pistolenkolben loszuschlagen.

Darauf löste sich aus der Gruppe ein magerer, alter Mann mit knochigem, nacktem Rücken, mit gelblichen Backenknochen und hängendem Schnurrbart.

»Krieg aus«, sagte der Greis in merkwürdiger Ekstase. »Alle Offiziere davongelaufen. Krieg aus!«

Und der Pole streckte seine bläulichen Hände dem Schwadronskommandeur entgegen.

»Fünf Finger«, sagte er schluchzend und drehte seine kraftlose, riesige Hand. »Mit fünf Finger ich habe Familie ernährt.«

Dem Alten ging die Luft aus, er strauchelte, Tränen flossen ihm über das Gesicht, und er fiel vor Trunow auf die Knie. Aber Trunow stieß ihn mit dem Säbel weg.

»Eure Offiziere sind Schweine«, sagte der Schwadronskommandeur, »eure Offiziere haben ihre Uniformen weggeworfen. Ich werde sie euch anprobieren, und wem eine paßt, der ist erledigt.«

Und der Schwadronskommandeur suchte aus dem Haufen Lumpen eine Mütze mit Schnüren heraus und setzte sie dem alten Mann auf den Kopf.

»Aha«, murmelte Trunow und kam näher. »Sie paßt!« Und er stieß dem Gefangenen den Säbel in den Hals. Der alte Mann fiel nieder, er zuckte mit den Beinen, und aus seinem Hals schoß ein korallenroter, schäumender Bach. Dann trat mit glänzendem Ohrgehänge und mit rundem Bauernhals Andrjuschka Wosmiljetow auf ihn zu. Andrjuschka knöpfte dem Sterbenden die Hose auf, schüttelte ihn und zog ihm die Hose aus. Er warf sie über seinen Sattel, nahm noch zwei Monturen aus dem Haufen, ritt davon und knallte mit seiner Peitsche. In diesem Augenblick kam die Sonne hinter den Wolken hervor. Sie schien plötzlich auf Andrjuschkas Pferd, auf seinen fröhlichen Trab und auf das sorglose Wippen des gestutzten Schweifs. Andrjuschka ritt auf den Wald zu, in dem unser Troß kampierte. Die

Fahrer liefen aufgeregt heraus, pfiffen und machten Wosmiljetow Zeichen, als wäre er taub.

Der Kosak hatte noch nicht einmal die Hälfte des Weges hinter sich gebracht, als Trunow auf die Knie fiel und hinter ihm herschrie:

»Andrej!« schrie der Schwadronskommandeur, zur Erde starrend. »Andrej!« wiederholte er, ohne den Blick von der Erde zu heben. »Unsere Sowjetrepublik lebt noch! Es ist noch zu früh, ihr Gut zu verteilen! Wirf die Sachen weg, Andrej.«

Doch Wosmiljetow drehte sich nicht einmal um. Er ritt im tadellosen Kosakentrab, seine Stute wölbte stolz den Schweif, als wollte sie uns damit wegfegen.

»Verrat«, murmelte darauf Trunow verblüfft. »Verrat«, sagte er, legte hastig seinen Karabiner an, schoß und verfehlte in der Eile sein Ziel. Aber diesmal machte Andrej halt. Er wandte sein Pferd gegen uns, hüpfte im Sattel wie eine Frau, sein Gesicht wurde rot vor Wut, und er stieß sein Pferd mit den Füßen.

»Hör zu, Landsmann!« schrie er, als er uns nähergekommen war, und bei dem Klang seiner eigenen tiefen, kräftigen Stimme beruhigte er sich. »Soll ich dich prügeln, Landsmann, daß du alle Sterne siehst? Wenn du zehn kleine Schlachtschitzen gefangennimmst, machst du solchen Krawall! Wir haben Hunderte von ihnen gefangengenommen und dich dabei nicht gebraucht!... Wenn du ein Arbeiter bist, dann tu deine Pflicht.«

Er warf die Hose und die zwei Uniformen von seinem Sattel und wandte sich vom Schwadronskommandeur ab. Andrjuschka erklärte sich einverstanden, mir die Liste der übriggebliebenen Gefangenen abfassen zu helfen. Er strich um mich herum, schneuzte sich ungewöhnlich laut und störte mich nur bei der Arbeit. Die Gefangenen jammerten und liefen vor Andrjuschka weg, aber er ritt ihnen nach und sammelte sie ein, wie der Jäger ein Bündel Schilfrohr, wenn er den Vogelschwarm beobachten will, der sich morgens am Fluß niederläßt.

Während ich mich mit den Gefangenen plagte, gebrauchte ich alle Flüche, die ich kannte, und es gelang mir allmählich, acht von ihnen aufzuschreiben, mit den Namen ihrer Einheiten und der Waffengattung. Dann fing ich mit dem neunten an. Dieser neunte war ein junger Bursche, der aussah wie ein deutscher Athlet in einem guten Zirkus. Der Bursche hatte eine weiße deutsche Brust und Koteletten; er trug eine Trikotunterhose und ein Jägerhemd. Er wandte mir die zwei Warzen seiner starken Brust zu, warf seine verschwitzten blonden Haare zurück und nannte mir den Namen seiner Einheit. Dann griff Andrjuschka nach seiner Unterhose und fragte streng:

»Wo hast du diese Unterhose her?«

»Die Mutter hat sie mir gestrickt«, antwortete der Gefangene und schwankte.

»Ah, deine Mutter ist die Fabrik!« sagte Andrjuschka, beugte sich vor und berührte mit seinem fleischigen Finger die gepflegten Fingernägel des Gefangenen. »Deine Mutter muß tatsächlich eine Fabrik sein. Unsere Mütter können so etwas nicht stricken.«

Er betastete noch einmal die Trikotunterhose und nahm den neunten Gefangenen an der Hand, um ihn zu den anderen zu führen, die schon aufgeschrieben waren. In diesem Augenblick sah ich, wie Trunow hinter einem Erdhaufen hervorkroch. Das Blut rann vom Kopf des Schwadronskommandeurs herab wie Wasser vom Mühlenrad, der schmutzige Lappen hatte sich gelöst und hing herunter. Trunow kroch auf dem Bauch und hielt den Karabiner in der Hand. Es war ein japanischer Karabiner, lackiert und präzis. Aus zwanzig Schritt Entfernung zerschmetterte Paschka den Schädel des jungen Burschen, und das Gehirn des Polen spritzte mir auf die Hände. Dann ließ Trunow die Patronenhülsen aus dem Gewehr springen und trat auf mich zu.

»Streich den aus«, sagte er und zeigte auf die Liste.

»Ich werde ihn nicht streichen«, sagte ich und erschauerte. »Es scheint so, als gelten Trotzkis Befehle nicht für dich, Paschka.«

»Streich den einen«, wiederholte Trunow und tippte mit seinem schwarzen Finger auf das Papier.

»Keinen werde ich streichen!« schrie ich, so laut ich konnte. »Es waren zehn! Jetzt sind es nur noch acht! Im Stab wird man dir nicht auf die Finger schauen!«

»Im Stab wird man auf unser elendes Leben schauen«,

antwortete Trunow heiser und begann, sich mir zu nähern, blieb aber dann stehen, hob seinen blutigen Kopf zum Himmel und sagte mit bitterem Vorwurf: »Es brummt, es brummt! Und da ist noch eins…«

Und der Schwadronskommandeur zeigte auf vier Punkte am Himmel, vier Bomber, die hinter den glänzenden Schwanenwolken schwammen. Es waren Maschinen vom Geschwader des Majors Faunt Le Roy, riesige, gepanzerte Flugzeuge.

»Auf die Pferde!« schrien die Zugführer, als sie die Flugzeuge erblickten, und führten die Schwadron im Galopp in den Wald, aber Trunow ritt nicht mit seiner Schwadron. Er blieb neben dem Bahnhofsgebäude und duckte sich. Andrjuschka Wosmiljetow und zwei Maschinengewehrschützen, zwei barfüßige Burschen in himbeerfarbenen Hosen, standen unruhig neben ihm.

»Macht euch bereit, Burschen«, sagte Paschka Trunow, und sein Gesicht wurde blaß. »Da ist mein Bericht an Pugatschow.«

Und in klobiger Bauernschrift schrieb Trunow auf ein schief abgerissenes Stück Papier: »Da es mir bestimmt ist, heute zu sterben«, schrieb er, »erachte ich es für meine Pflicht, zwei Maschinengewehre zwecks Abschießens des Feindes aufzustellen, wenn sich dazu eine Möglichkeit ergibt, und übergebe zugleich das Kommando an Semjon Golow, Zugführer.«

Er verschloß den Brief, setzte sich auf die Erde und zog mühsam seine Stiefel aus.

»Nehmt sie!« sagte er und übergab den Maschinengewehrschützen den Bericht und die Stiefel. »Nehmt sie, die Stiefel sind neu.«

»Viel Glück, Kommandeur«, murmelten die Maschinengewehrschützen statt einer Antwort, traten von einem Fuß auf den andern und zögerten, aufzubrechen.

»Viel Glück auch euch, Burschen«, sagte Trunow und ging zu dem Maschinengewehr, das auf einem kleinen Hügel neben dem Bahnwärterhaus stand. Dort wartete auf ihn Andrjuschka Wosmiljetow, der Kleiderdieb.

»Vielleicht geht's«, sagte Trunow und begann, mit dem Maschinengewehr zu zielen. »Bleibst du bei mir, Andrej?«

»Zum Teufel mit denen«, antwortete Andrjuschka erschrocken, schluckte, erblaßte und lachte auf. »Zu allen Teufeln mit ihnen!«

Und er begann, mit dem zweiten Maschinengewehr auf die Flugzeuge zu zielen.

Und die Flugzeuge begannen, über dem Bahnhof zu kreisen, brummten in den Wolken, kamen immer tiefer herunter, und die Sonne warf einen roten Strahl auf ihre gelbglänzenden Flügel.

Währenddessen saßen wir, die Vierte Schwadron, im Wald. Dort warteten wir auf das Ende des ungleichen Kampfs zwischen Paschka Trunow und dem Major der amerikanischen Armee, Reginald Faunt Le Roy. Der Major und die drei anderen Flieger zeigten in diesem Kampf viel Geschicklichkeit. Sie kamen auf dreihundert Meter herunter und durchsiebten mit ihren Maschinengewehren zuerst Andrjuschka und dann Trunow. Nicht eine einzige Salve der Unseren konnte den Amerikanern irgendeinen Schaden zufügen. Sie flogen weiter, ohne die im Wald versteckte Schwadron zu bemerken. Wir warteten noch eine halbe Stunde und gingen dann die Leichen holen. Die Leiche des Andrjuschka Wosmiljetow nahmen zwei seiner Verwandten mit, die in unserer Schwadron dienten, und den toten Kommandeur Trunow brachten wir in das gotische Sokalj und begruben ihn dort an einem würdigen Platz, in einem Park im Zentrum der Stadt, inmitten von Blumen.

Zwei Iwans

Der Diakon Agejew war zweimal von der Front ausgerissen. Dafür wurde er ins Moskauer Strafregiment gesteckt. Bevor das Regiment an die Front geschickt wurde, hielt der Oberkommandierende Sergej Sergejitsch Kamenew in Moschaisk eine Besichtigung ab.

»Ich brauche die Leute nicht«, sagte der Oberkommandierende. »Schicken Sie sie nach Moskau zurück, dort sollen sie Latrinen putzen.«

Aber in Moskau stellte man aus den Unzuverlässigen dann doch noch irgendwie ein Bataillon zusammen, und in dieses geriet auch der Diakon. So kam er an die polnische Front, und dort stellte er sich taub. Der Hilfsarzt Barsutzki aus der Sanitätsabteilung gab sich mit ihm eine Woche lang ab und staunte über die Beharrlichkeit des Diakons.

»Zum Teufel mit diesem Tauben«, sagte Barsutzki zum Sanitäter Sojtschenko. »Treib beim Troß einen Wagen auf, wir werden den Diakon nach Rowno zur Untersuchung schicken.«

Sojtschenko ging zum Troß und bekam drei Wagen; der Fahrer des ersten war Akinfiew.

»Iwan«, sagte Sojtschenko zu ihm, »bring den Tauben da nach Rowno.«

»Ich werde ihn schon hinbringen«, antwortete Iwan Akinfiew.

»Und du wirst mir einen Revers zurückbringen, daß du ihn dort abgeliefert hast.«

»Klar«, sagte Akinfiew. »Und aus welchem Grund ist er taub?«

»Das Hemd ist ihm näher als der Rock«, sagte Sojtschenko, der Sanitäter. »Das dürfte der Grund sein. Er ist ein Simulant.«

»Ich werde ihn hinbringen«, antwortete Akinfiew und fuhr den anderen Wagen nach.

Beim Verbandsplatz hielten die drei Wagen. Auf dem ersten wurde eine Krankenschwester untergebracht, die ins Hinterland versetzt worden war, der zweite Wagen wurde für einen Kosaken mit Nierenentzündung bestimmt und der dritte für Iwan Agejew, den Diakon.

Als es soweit war, suchte Sojtschenko den Hilfsarzt auf.

»Unser Simulant fährt ab«, sagte er. »Ich habe ihn gegen Revers auf einen Wagen des Revolutionstribunals geladen. Sie brechen gerade auf.«

Barsutzki sah durchs Fenster, erblickte den Wagen und stürzte ganz rot und ohne Mütze aus dem Haus.

»Du wirst ihn doch nur umbringen!« schrie er Akinfiew zu. »Der Diakon muß auf einen anderen Wagen kommen!«

»Wo soll er denn hin?« antworteten die Kosaken, die in

der Nähe standen, und lachten. »Unser Iwan wird das schon richtig erledigen.«

Iwan Akinfiew stand, die Peitsche in der Hand, neben seinen Pferden. Er nahm die Mütze ab und sagte höflich:

»Grüß dich, Genosse Hilfsarzt!«

»Grüß dich«, erwiderte Barsutzki. »Du bist ein Tier! Der Diakon muß auf einen anderen Wagen!«

»Es interessiert mich, zu erfahren«, sagte darauf der Kosak mit schriller Stimme, und seine Oberlippe zitterte über seinen perlweißen Zähnen. »Es interessiert mich, zu erfahren, ob man es richtig findet oder nicht, daß einer taub bleiben kann, während der Feind uns in die Zange nimmt und uns das Herz aus dem Leib reißen will, während der Feind uns an den Füßen hängt wie schweres Gewicht und uns wie eine Schlange die Hände umschlingt; es interessiert mich, zu erfahren, ob man in einer solchen Stunde auf Leben und Tod taub bleiben kann.«

»Iwan hält zu den Kommissaren!« rief Korotkow, der Fahrer des ersten Wagens. »Und wie er zu ihnen hält!«

»Was heißt das?« murmelte Barsutzki und sah sich um. »Wir alle halten zu ihnen. Aber es muß alles seine gesetzliche Ordnung haben.«

»Unser Tauber hört doch alles!« fiel plötzlich Akinfiew ein. Er drehte die Peitsche in seinen dicken Fingern, lachte auf und zwinkerte dem Diakon zu. Dieser saß im Wagen, ließ seine mächtigen Schultern hängen und wackelte mit dem Kopf.

»Dann fahr mit Gott!« rief der Arzt ganz verzweifelt. »Aber du bist mir für alles verantwortlich, Iwan!«

»Gut, ich bin verantwortlich«, sagte Akinfiew nachdenklich und nickte. »Setz dich bequem«, sagte er zu dem Diakon, ohne sich umzudrehen. »Setz dich noch bequemer«, wiederholte der Kosak und nahm die Zügel.

Die Wagen reihten sich hintereinander und fuhren los. Vorne fuhr Korotkow. Akinfiew war der dritte. Er pfiff und ließ die Zügel schwingen. So fuhren sie etwa fünfzehn Werst, und gegen Abend wurden sie plötzlich von einem Durchbruch des Feindes überrascht.

An diesem Tag, es war der 22. Juli, brachen die Polen durch einen schnellen Vorstoß in unser Hinterland ein. Sie erstürmten das Städtchen Kozin und nahmen viele Soldaten, die zum Verband der Elften Division gehörten, gefangen. Die Schwadronen der Sechsten Division wurden zum Gegenangriff in das Gebiet von Kozin geworfen. Diese Blitzaktionen brachten die Trosse durcheinander, und die drei Wagen irrten zwei Tage und zwei Nächte über brennende Schlachtfelder, und erst in der dritten Nacht erreichten sie wieder die Straße, über die sich die Etappenstäbe zurückzogen. Auf dieser Straße begegnete ich ihnen um Mitternacht.

Es war nach der Schlacht bei Chotin. Ich war gelähmt von kalter Verzweiflung. In der Schlacht war Lawrik, mein Pferd, mein einziger Trost auf Erden, getötet worden. Nachdem ich Lawrik verloren hatte, setzte ich mich auf einen Sanitätswagen und sammelte bis zum Abend Verwundete auf. Dann warf man die Gesunden aus dem Wagen, und ich blieb schließlich allein neben einem zerstörten Schuppen. Die Nacht flog mir auf schnellen Pferden entgegen. Die Schreie von den Trossen stiegen ins All. Auf der Erde, die von Stöhnen umgürtet war, erloschen die Wege. Die Sterne tauchten aus der kühlen Tiefe der Nacht empor, und verlassene Dörfer brannten am Horizont. Ich warf mir den Sattel auf den Rücken, ging den zerwühlten Feldrain entlang und blieb an der Biegung stehen, um meine Notdurft zu verrichten. Als ich damit fertig war, fühlte ich beim Zuknöpfen, daß meine Hand feucht war. Ich knipste meine Taschenlampe an, drehte mich um und erblickte auf der Erde die Leiche eines Polen, über die sich mein Wasser ergossen hatte. Es floß ihm aus dem Mund, über seine Zähne, und sammelte sich in den eingesunkenen Augenhöhlen. Ein Notizbuch und die Fetzen eines Flugblattes von Pilsudski lagen neben der Leiche. Im Notizbuch des Polen waren seine Geldausgaben verzeichnet, das Repertoire des Krakauer Schauspielhauses und der Geburtstag einer Frau, die Marie-Luise hieß. Mit dem Aufruf des Marschalls Pilsudski, des Oberkommandierenden der polnischen Armee, wischte ich die stinkende Flüssigkeit vom Antlitz meines unbekannten Bruders. Dann ging ich weiter, gebeugt unter der Last des Sattels. In diesem Augenblick quietschten Räder in der Nähe.

»Halt!« rief ich und wurde zu Stein. »Wer da?«

Die Nacht flog mir auf schnellen Pferden entgegen, und die Brände wanden sich wild am Horizont.

»Der Wagen des Revolutionstribunals«, antwortete mir eine erstickte Stimme aus der Finsternis.

Ich lief hin und stieß gegen einen Wagen.

»Man hat mein Pferd getötet«, sagte ich mit ungewöhnlich starker Stimme. »Lawrik hat es geheißen.«

Niemand antwortete mir. Ich kletterte auf den Wagen, legte mir den Sattel unter den Kopf und schlief ein. Ich schlief bis zur Morgendämmerung, gewärmt von faulendem Heu und vom Körper meines zufälligen Nachbarn Iwan Akinfiew.

Der Kosak erwachte etwas später am Morgen als ich.

»Es ist schon Tag, Gott sei Dank«, sagte er, holte unter der Kiste einen Revolver hervor und schoß am Ohr des Diakons vorbei. Der saß gerade vor uns und kutschierte. Über seinem riesigen, kahlen Schädel wehten ein paar dünne, braune Haare. Akinfiew schoß noch einmal am anderen Ohr vorbei und steckte den Revolver wieder ins Futteral.

»Guten Morgen, Iwan«, sagte er zum Diakon und zog sich ächzend die Stiefel an. »Wir wollen frühstücken, was?«

»Mensch!« schrie ich, als ich zu mir kam. »Was machst du da?«

»Was ich auch immer mache, es ist zuwenig«, antwortete mir Akinfiew und packte das Essen aus. »Der simuliert da schon drei Tage und drei Nächte lang.«

Dann meldete sich vom ersten Wagen Korotkow, den ich vom Einunddreißigsten Regiment her kannte, und erzählte mir die Geschichte des Diakons von Anfang an. Akinfiew hörte aufmerksam zu, dann zog er unter dem Sattel einen gebratenen Ochsenschlegel hervor.

Das Fleisch war mit einer Decke umwickelt und voll Heu. Der Diakon kroch vom Bock zu uns herunter, schnitt mit dem Messer das grüne Fleisch und gab jedem ein Stück. Als Akinfiew mit dem Frühstück fertig war, wickelte er den Schlegel wieder ein und schob ihn unters Heu.

»Iwan«, sagte er zu Agejew, dem Diakon, »komm, wir wollen den Teufel austreiben. Wir müssen sowieso Rast halten, damit die Pferde sich ausruhen können.«

Er zog aus der Tasche ein Medizinfläschchen und eine Tarnowski-Spritze und reichte beides dem Diakon. Sie stiegen vom Wagen und gingen etwa zwanzig Schritt abseits aufs Feld.

»Schwester!« rief Korotkow vom ersten Wagen, »schau ein bißchen auf die andere Seite, sonst macht dich Akinfiews Reichtum noch blind!«

»Ich habe genug von eurem Blödsinn«, murmelte die Frau und drehte sich um.

Dann zog Akinfiew sein Hemd hoch. Der Diakon kniete nieder und gab ihm die Spritze. Dann wischte er die Spritze mit einem Lappen ab und hielt sie gegen das Licht. Akinfiew zog seine Hose hoch; er nützte den Augenblick, trat hinter den Diakon und schoß ihm wieder einmal dicht am Ohr vorbei.

»Herzlichen Dank, Iwan«, sagte er, während er sich die Hose zuknöpfte.

Der Diakon stellte das Medizinfläschchen auf den Rasen und stand auf. Seine paar Haare standen zu Berg.

»Mich wird das Höchste Gericht richten!« sagte er mit dumpfer Stimme. »Nicht du bist mein Richter, Iwan!«

»Heutzutage wird jeder von jedem verurteilt«, sagte der Fahrer des zweiten Wagens, der wie ein aufgebrachter Buckliger aussah, »und immer gleich zum Tode!«

»Oder noch besser«, sagte Agejew und richtete sich auf, »töte mich, Iwan!«

»Mach keine Geschichten, Diakon«, sagte Korotkow, den ich von früher her kannte, und trat auf Agejew zu. »Du mußt begreifen, mit wem du unterwegs bist. Ein anderer hätte dir wie einer Ente den Hals umgedreht. Du wärest nicht einmal dazugekommen, einen Pieps zu tun. Er aber fischt aus dir die Wahrheit heraus und will dir etwas beibringen, du alter Räuber.«

»Oder noch besser«, wiederholte hartnäckig der Diakon und trat vor, »töte mich, Iwan!«

»Du wirst dich selbst umbringen, du Aas«, antwortete Akinfiew stotternd und wurde blaß wie ein Tuch. »Du wirst dir selbst das Grab schaufeln und dich einscharren.« Er warf die Arme hoch, riß sich den Kragen auf und fiel in einem epileptischen Anfall auf die Erde.

»Ach, mein blutiges Los!« schrie er wild und fing an, sich Sand ins Gesicht zu werfen. »Ach, du mein bitteres Blut, du meine Sowjetmacht...«

»Iwan«, sagte Korotkow, trat auf ihn zu und legte ihm zart die Hand auf die Schulter. »Quäle dich nicht, mein Lieber, sei nicht traurig. Wir müssen fahren, Iwan...«

Korotkow nahm den Mund voll Wasser, bespritzte damit Akinfiew und trug ihn dann in den Wagen. Der Diakon setzte sich wieder auf den Bock, und wir fuhren weiter.

Bis zum Städtchen Werba waren es noch zwei Werst. Dort hatten sich an diesem Morgen viele Trosse gestaut. Die Elfte Division war dort, die Vierzehnte und die Vierte. Juden in Westen standen mit eingezogenen Schultern wie zerzauste Vögel auf den Schwellen ihrer Häuser. Die Kosaken gingen von Haus zu Haus, sammelten Handtücher ein und aßen unreife Pflaumen. Als wir angekommen waren, rollte sich Akinfiew im Heu zusammen und schlief ein. Ich nahm eine Decke von seinem Wagen und ging fort, um mir einen schattigen Platz zu suchen. Aber die Felder zu beiden Seiten der Straße waren mit Kot übersät. Ein bärtiger Bauer mit Kupferbrille und Tirolerhut, der am Straßenrand Zeitung las, bemerkte meinen Blick und sagte:

»Menschen nennen wir uns, aber wir scheißen übler als die Schakale. Die Erde schämt sich unser.«

Und er wandte sich ab und fuhr fort, durch seine große Brille Zeitung zu lesen.

Ich ging in den Wald links von der Straße und sah, wie der Diakon mir entgegenkam.

»Wo willst du hin, Landsmann?« schrie ihm Korotkow vom ersten Wagen nach.

»Meine Notdurft verrichten«, murmelte der Diakon, ergriff meine Hand und küßte sie.

»Sie sind ein guter Mensch«, flüsterte er, schnitt eine Grimasse, zitterte und rang nach Luft. »Ich bitte Sie, wenn Sie hier herauskommen, dann schicken Sie Nachricht nach Kasimow, damit meine Frau mich beweinen kann.«

»Sind Sie taub, Vater Diakon, oder nicht?« schrie ich und sah ihn gerade an.

»Verzeihung«, sagte er und hielt mir das Ohr hin.

»Sind Sie taub, Agejew, oder nicht?«

»Ja, taub«, sagte er hastig. »Vor drei Tagen noch habe ich ein wunderbares Gehör gehabt, aber Genosse Akinfiew hat es mir mit seiner Schießerei zerstört. Er ist verpflichtet, mich in Rowno abzuliefern, der Genosse Akinfiew, aber ich glaube nicht, daß er es tun wird.«

Der Diakon fiel auf die Knie, kroch mit vorgestrecktem Kopf, wobei ihm verklebtes Popenhaar ins Gesicht fiel, unter dem Wagen durch, kam auf der anderen Seite hervor, erhob sich und trat auf Korotkow zu. Der gab ihm Tabak, sie drehten sich Zigaretten und gaben einander Feuer.

»So ist es richtig«, sagte Korotkow und machte ihm neben sich Platz. Der Diakon setzte sich neben ihn, und sie schwiegen.

Akinfiew wachte auf. Er zog den Ochsenschlegel aus dem Sack, schnitt mit dem Messer das grüne Fleisch und gab jedem ein Stück. Als ich diesmal den verfaulten Schlegel sah, wurde mir übel, und Verzweiflung überkam mich. Ich gab meinen Teil zurück.

»Lebt wohl, Burschen«, sagte ich, »und viel Glück.«

»Leb wohl«, antwortete Korotkow.

Ich nahm meinen Sattel vom Wagen und ging. Und während ich mich entfernte, hörte ich Iwan Akinfiews endloses Geschwätz.

»Iwan«, sagte er zu dem Diakon, »du hast einen großen Fehler gemacht, Iwan. Du hättest dich vor meinem Namen fürchten sollen. Aber du hast dich auf meinen Wagen gesetzt. Du hättest dich verdrücken können, ehe du mir in die Hände kamst. Aber jetzt werde ich es dir geben, bei Gott, ich werde es dir geben, Iwan!«

Fortsetzung der Geschichte eines Pferdes

Vor vier Monaten hatte unser ehemaliger Divisionskommandeur Sawitzki dem Kommandeur der Ersten Schwadron, Chlebnikow, seinen weißen Hengst weggenommen, und Chlebnikow hatte daraufhin die Armee verlassen.

Heute erhielt Sawitzki einen Brief von ihm.
Chlebnikow an Sawitzki:

»Ich kann auf Budjonnys Reiterarmee nicht mehr böse sein. Ich verstehe die Qualen, die ich gelitten habe, solange ich bei der Armme war, und ich bewahre sie in meinem Herzen reiner als ein Heiligtum. Und Ihnen, Genosse Sawitzki, als einem weltberühmten Helden, senden die arbeitenden Massen von Witebsk, wo ich Vorsitzender des Revolutionären Kreiskomitees bin, den proletarischen Gruß: Vorwärts zur Weltrevolution! und wünsche Ihnen, daß Sie der bewußte weiße Hengst noch jahrelang auf sanften Wegen trägt, zum Nutzen der allgemein geliebten Freiheit und der brüderlichen Republiken, in denen wir besonders auf die örtlichen Behörden achtgeben müssen sowie auf die Gebietsorgane, in allen Angelegenheiten der öffentlichen Verwaltung.«

Sawitzki an Chlebnikow:

»Treuer Genosse Chlebnikow! Der Brief, den Du mir geschrieben hast, ist sehr löblich für die gemeinsame Sache, besonders nach Deinem dummen Ausfall, als Du Deinen Augen Deine eigene Haut vorgezogen hast und aus unserer Kommunistischen Partei der Bolschewiki ausgetreten bist. Unsere Kommunistische Partei ist, Genosse Chlebnikow, eine eiserne Schar von Kämpfern, die in den ersten Reihen ihr Blut vergießen, und wenn Blut vom Eisen fließt, das ist, Genosse, kein Spaß, sondern Sieg oder Tod. Dasselbe bezieht sich auch auf die gemeinsame Sache, deren Sieg ich wohl nicht erleben werde, weil wir schwere Schlachten durchzumachen haben und ich den Kommandeurskader alle paar Wochen ersetzen muß. Dreißig Tage und Nächte kämpfen wir in der Nachhut und decken den Rückzug der unbesiegbaren Ersten Reiterarmee, wir befinden uns ständig unter schwerem Beschuß von Artillerie und Flugzeugen des Feindes. Tardi ist tot, Luchmanjikow ist tot, Likoschenko ist tot, Guljewoj ist tot, Trunow ist tot, und den weißen Hengst habe ich nicht mehr, und wegen des veränderlichen Kriegsglücks kannst Du nicht damit rechnen, Genosse Chlebnikow, Deinen geliebten Divisionskommandeur Sawitzki wiederzusehen. Wir werden uns, wie man so sagt, erst im Himmelreich wiedersehen, aber ich höre, es soll da oben gar kein Reich geben, sondern ein Riesenbordell, und da man vom Tripper ja doch auf Erden schon genug hat, werden wir uns vielleicht gar nicht mehr sehen. In diesem Sinne leb wohl, Genosse Chlebnikow.«

Die Witwe

Im Krankenwagen liegt der Regimentskommandeur Scheweljow im Sterben. Ihm zu Füßen sitzt eine Frau. Die Nacht, die vom Widerschein der Kanonade zerrissen ist, neigt sich über den Sterbenden. Ljowka, der Fahrer des Divisionskommandeurs, wärmt im Kessel das Essen. Ljowkas Haarschopf hängt über dem Feuer. Im Gebüsch knackt es von den Bewegungen der angebundenen Pferde. Ljowka rührt mit einem Zweig im Kessel und spricht zu Scheweljow, der ausgestreckt im Krankenwagen liegt:

»Ich habe, mein Lieber, in Tjumrek gearbeitet. Ich habe als Zirkusreiter gearbeitet und auch als Athlet. Das Städtchen ist natürlich für Frauen ein bißchen langweilig. Und kaum hatten die Dämchen mich bemerkt, da flogen sie auch schon auf mich… ›Lew Gawrilitsch, schlagen Sie es uns doch nicht ab, ein Essen à la carte anzunehmen; Sie werden sich über verlorene Zeit nicht zu beklagen haben…‹ Wir gehen also in die Kneipe. Wir bestellen zwei Portionen Kalbfleisch. Wir bestellen einen halben Liter Wein. Wir sitzen ganz ruhig nebeneinander, trinken ein bißchen, und da schau, ein Herr drängt sich uns auf. Man kann nichts sagen – sauber angezogen. Aber ich bemerke an seiner ganzen Art, daß er nicht wenig eingebildet ist und dazu noch angesoffen.

›Entschuldigen Sie‹, sagt er, ›aber welcher Nationalität sind Sie eigentlich?‹

›Aus welchen Gründen‹, frage ich, ›mein Herr, interessiert Sie meine Nationalität, besonders wo ich mich in Gesellschaft einer Dame befinde?‹

Und er darauf:

›Sie wollen ein Athlet sein?... Im französischen Ringen macht man aus solchen, wie Sie einer sind, Strohsäcke. Beweisen Sie mir Ihre Nationalität.‹

Nun, ich schlage immer noch nicht zu.

›Hören Sie‹, sage ich, ›ich kenne nicht einmal Ihren Namen. Warum provozieren Sie eine Sache, die darauf hinausläuft, daß hier unter allen Umständen und auf der Stelle jemand zugrunde gehen muß – mit anderen Worten: daß er kämpfen muß bis zum letzten Atemzug?‹

»Bis zum letzten Atemzug«, wiederholt Ljowka begeistert und streckt seine Arme zum Himmel, der die Nacht wie mit einem Heiligenschein umgibt.

Der unermüdliche Wind, der reine Nachtwind, singt, voll Glockengeläut, und bewegt die Seelen. Sterne glänzen in der Dunkelheit wie Eheringe; sie fallen auf Ljowka herab, verfangen sich in seinen Haaren und erlöschen auf seinem zerzausten Haupt.

»Lew«, flüstert ihm Scheweljow mit bläulichen Lippen plötzlich zu. »Komm her. Das Gold, das ich habe, gehört Saschka, die Ringe, die ganze Ausrüstung, alles. Wir haben miteinander gelebt, so gut wir konnten; ich will sie belohnen. Meine Kleider, die Wäsche, der Orden für unerschütterliche Tapferkeit gehören der Mutter am Terek. Schick ihr dazu einen Brief und schreib ihr: ›Der Kommandeur läßt grüßen, weine nicht. Die Hütte gehört dir, Alte, lebe in ihr. Wenn dir jemand etwas tun will, geh zu Budjonny und sag: Ich bin Scheweljows Mutter.‹ ... Das Pferd Abramka vermach' ich dem Regiment, zum Andenken an meine Seele.«

»Das mit dem Pferd habe ich verstanden«, murmelt Ljowka und fuchtelt mit den Armen. »Saschka!« schreit er der Frau zu. »Hast du verstanden, was er sagt? Sprich, solange er noch lebt: Willst du der Alten ihren Teil geben oder nicht?«

»Zum Kuckuck mit euch!« antwortet Saschka und geht ins Gebüsch, steif wie eine Blinde.

»Wirst du ihr ihren Teil geben?« fragt Ljowka, erwischt sie und packt sie an der Kehle. »Sprich, solange er lebt!«

»Ja, ich tu' es schon. Laß mich los!«

Und nachdem er ihr dieses Versprechen abgepreßt hatte, nahm Ljowka den Kessel vom Feuer und begann, die Gemüsesuppe in den erstarrenden Mund des Sterbenden zu schütten. Die Suppe rann an Scheweljow herunter, der Löffel klirrte gegen seine glänzenden, toten Zähne, und die Schüsse sangen immer trauriger und immer stärker durch das Dickicht der Nacht.

»Diese Wanzen schießen mit Maschinengewehren«, sagte Ljowka.

»Schweinerei«, antwortete Scheweljow. »Sie reißen uns mit ihrem Maschinengewehrfeuer die rechte Flanke auf.«

Und mit geschlossenen Augen, feierlich, wie ein aufgebahrter Toter, lauschte Scheweljow mit seinen großen, wächsernen Ohren den Geräuschen der Schlacht. Neben ihm kaute Ljowka hastig das Fleisch, schmatzte und schnalzte mit der Zunge. Als er fertig war, leckte sich Ljowka die Lippen und zog Saschka in die Mulde.

»Saschka«, sagte er zitternd, rülpste und fuchtelte mit den Händen. »Saschka, ich flehe dich an wie den lieben Gott – wir sind ohnehin schon sündig genug, man lebt einmal und man stirbt einmal. Gib dich mir, Saschka, ich werde es dir danken, und wenn es mein Blut kostet... Seine Zeit ist um, Saschka. Aber Gottes Tage gehen weiter ihren Gang.«

Sie setzten sich ins hohe Gras. Der zögernde Mond kroch hinter den Wolken hervor, und sein Licht fiel auf Saschkas entblößtes Knie.

»Ihr wärmt euch da«, murmelte Scheweljow, »und inzwischen haben die Polen unsere Vierzehnte Division zum Teufel gejagt.«

Ljowka schnaufte, und es knackte im Gebüsch. Der Nebelmond irrte über den Himmel wie ein Bettler. Fernes Feuer schwamm in der Luft. Das Federgras raschelte auf der unruhigen Erde, und die Auguststerne sanken vom Himmel.

Dann kehrte Saschka auf ihren früheren Platz zurück. Sie wechselte dem Verwundeten den Verband und beleuchtete mit der Taschenlampe seine vereiterten Wunden.

»Du wirst morgen sterben«, sagte Saschka und wischte Scheweljow den kalten Schweiß ab. »Morgen wirst du sterben. Er sitzt dir schon in den Gedärmen, der Tod.«

In diesem Augenblick ertönte ein mächtiges, vielstimmiges Krachen. Vier frische Brigaden, die das vereinigte feindliche Oberkommando in die Schlacht geworfen hatte, schossen ihre ersten Granaten auf Busk. Sie zerstörten unsere Verbindungslinien und setzten da, wo der Bug sich teilt, den Horizont in Brand. Gehorsam erhob sich Feuerschein, und die schweren Vögel der Kanonade flogen aus den Flammen. Busk brannte. Ljowka fuhr mit dem klapprigen Wagen des Kommandeurs der Sechsten Division wie ein Verrückter durch den Wald. Er riß an den himbeerfarbenen Zügeln, und die lackierten Wagenräder stießen gegen Baumstümpfe. Ihm folgte Scheweljows Wagen, den Saschka vorsichtig lenkte, und die Pferde sprangen beinahe aus den Strängen.

So kamen sie bis zur Lichtung, wo sich der Verbandsplatz befand. Ljowka spannte die Pferde aus und suchte den Sanitätsoffizier, um Pferdedecken zu verlangen. Er ging durch den Wald, in dem die Wagen sich stauten. Unter ihnen lagen die Sanitäter, die schüchterne Morgendämmerung zitterte über ihren Schafspelzen. Überall lagen die Stiefel der Schlafenden herum, und die Münder standen offen, schwarze, schiefe Löcher.

Der Sanitätsoffizier gab ihm eine Decke. Ljowka kehrte zu Scheweljow zurück, küßte ihn auf die Stirn und zog ihm die Decke über den Kopf. Dann trat Saschka auf den Wagen zu. Sie band das Kopftuch unter dem Kinn zusammen und schüttelte Stroh von ihrem Kleid.

»Pawlik!« schrie sie auf. »Ach, Jesus Christus!« Sie warf sich mit ihrem mächtigen Körper über den Toten.

»Es ist schwer für sie«, sagte Ljowka. »Man kann nichts sagen, sie haben gut miteinander gelebt. Jetzt wird sie sich wieder mit der ganzen Schwadron abgeben müssen. Das ist kein Vergnügen.«

Und er ritt weiter auf Busk zu, wo der Stab der Sechsten Kavalleriedivision Stellung bezogen hatte.

Dort, zehn Werst von der Stadt entfernt, war gerade ein Gefecht mit den Sawinkow-Kosaken im Gang. Diese Verräter kämpften unter dem Kommando des Kosakenkapitäns Jakowljew, der zu den Polen übergegangen war. Sie kämpften tapfer. Der Divisionskommandeur war zwei Tage und zwei Nächte bei seinen Einheiten. Da Ljowka ihn nicht fand, kehrte er in seine Hütte zurück, striegelte die Pferde, überschüttete die Wagenräder mit Wasser und legte sich in die Scheune schlafen. Die Scheune war mit frischem Heu vollgestopft, es duftete aufreizend wie Parfum. Ljowka schlief sich aus und setzte sich zum Essen. Die Bäuerin hatte ihm Kartoffeln gekocht, die sie mit saurer Milch übergoß. Ljowka saß schon am Tisch, als er von der Straße das Jammergeheul der Trompeten und das Getrappel vieler Hufe hörte. Die Schwadron kam mit Trompeten und Fahnen die gewundene galizische Straße herunter. Scheweljows Leiche lag auf einer Lafette und war mit Fahnen bedeckt. Dahinter ritt Saschka auf Scheweljows Pferd, und aus den hinteren Reihen der Reiter klang ein Kosakenlied.

Die Schwadron passierte die Hauptstraße und bog zum Fluß ab. Da lief Ljowka barfuß und ohne Mütze hinter dem Leichenzug her und ergriff das Pferd des Schwadronskommandeurs an den Zügeln.

Weder der Divisionskommandeur, der an der Kreuzung hielt, um dem Toten die letzte Ehre zu erweisen, noch sein Stab konnten hören, was Ljowka dem Schwadronskommandeur sagte.

Der Wind trug uns nur Gesprächsfetzen zu: »Die Wäsche… seiner Mutter… am Terek…«, hörten wir Ljowka undeutlich rufen. Der Schwadronskommandeur zeigte, ohne Ljowka zu Ende anzuhören, auf Saschka. Die Frau schüttelte den Kopf und ritt weiter. Da sprang Ljowka in ihren Sattel, packte sie an den Haaren, bog ihren Kopf zurück und schlug ihr mit der Faust ins Gesicht. Saschka wischte sich mit dem Saum ihres Kleides das Blut ab und ritt weiter. Ljowka sprang von ihrem Sattel, warf seinen Schopf zurück und wickelte sich den roten Schal um die Hüften. Und die gellenden Trompeten führten die Schwadron weiter, der leuchtenden Linie des Bug entgegen.

Ljowka kam bald zu uns zurück und schrie mit funkelnden Augen:

»Der hab' ich's gegeben…! ›Ich werde es schon der Mutter schicken, wie es sich gehört‹, sagte sie, ›ich vergesse es nicht. Und sein Angedenken werde ich selbst bewahren.‹ ›Wehe dir, wenn du es vielleicht doch vergißt, du Giftschlange! Wenn du es vergißt, dann wirst du daran erinnert werden! Und wenn du es zum zweitenmal vergißt, dann wirst du noch einmal daran erinnert!‹«

Samostje

Der Divisionskommandeur hatte sich mit seinem Stab auf einem abgemähten Feld, drei Werst von Samostje, niedergelassen. Den Einheiten stand ein Nachtangriff auf die Stadt bevor. Im Tagesbefehl der Armee war vorgesehen, daß wir in Samostje Nachtquartiere bezögen, und der Divisionskommandeur erwartete die Siegesnachricht.

Es regnete. Wind und Finsternis jagten über die feuchte Erde. Die wehenden schwarzen Wolken erstickten die Sterne. Die erschöpften Gäule atmeten schwer und scharrten in der Dunkelheit. Wir hatten nichts für sie. Ich band mir den Zügel um den Fuß, hüllte mich in meinen Mantel und legte mich in ein Loch, das voll Wasser war. Die aufgeweichte Erde erweckte in mir den Gedanken an die beruhigende Umarmung des Grabes. Das Pferd zerrte an den Zügeln und zog mir den Fuß weg; es hatte ein Büschel Gras gefunden und begann, daran zu zupfen. Dann schlief ich ein und träumte von einer Scheune voll Heu; über die Tenne tanzte summend goldener Staub, Weizengarben flogen in den Himmel, der Julitag neigte sich dem Abend zu, und die untergehende Sonne leuchtete über dem Dorf.

Ich streckte mich auf meinem stillen Lager, und das zärtliche Heu unter meinem Nacken nahm mir die Sinne. Das Scheunentor, in den Angeln kreischend, öffnete sich weit. Eine Frau näherte sich mir; sie trug ein Ballkleid. Sie nahm behutsam ihre Brüste aus den schwarzen Spitzen ihres Korsetts und bot sie mir wie eine Amme. Sie berührte mit den

Brüsten meine Brust. Eine betäubende Wärme wühlte den Grund meiner Seele auf, und die rinnenden Tropfen des Schweißes schienen zu sieden zwischen ihrer und meiner Brust.

»Margot!« wollte ich schreien. »An den Stricken der Mühsal zerrt die Welt mich dahin, wie einen Hund, der sich wehrt. Aber ich habe Sie gesehen, Margot.«

Das wollte ich hinausschreien, doch meine Kiefer, in plötzlicher Kälte erstarrt, taten sich nicht auf. Dann trat die Frau zurück und fiel auf die Knie.

»Jesus«, sagte sie, »empfange die Seele deines verblichenen Knechts.«

Sie legte zwei alte Kupfermünzen auf meine Lider und verstopfte mir den Mund mit duftendem Heu. Mein Stöhnen rang vergeblich zwischen zusammengeschmiedeten Kiefern nach einem Ausweg, die erlöschenden Augen bewegten sich langsam unter den Münzen; ich konnte meine Arme nicht heben. Da wurde ich wach.

Vor mir lag ein Bauer mit zerzaustem Bart. In den Armen hielt er ein Gewehr. Der Rücken meines Pferdes lag quer vor dem Himmel wie ein schwarzer Balken. Mein Bein, an den Zügel gebunden, ragte in die Höhe.

»Du bist eingeschlafen, Landsmann«, sagte der Bauer und sah mich lächelnd mit seinen übernächtigten Augen an. »Das Pferd hat dich eine halbe Werst geschleppt.«

Ich löste den Riemen von meinem Fuß und stand auf. Von meinem Gesicht, das von Stoppeln zerkratzt war, floß Blut.

Zwei Schritte von uns lag die vorderste Linie. Ich sah die Schornsteine von Samostje, die verstohlenen Lichter in den Gassen seines Gettos und den Feuerwehrturm mit seiner zerbrochenen Laterne. Feuchte Morgendämmerung überströmte uns wie mit Schwaden von Chloroform. Über dem polnischen Lager stiegen grüne Leuchtkugeln auf; sie zitterten in der Luft, entfalteten sich wie Rosen im Mondschein und erloschen.

Und in der Stille hörte ich ferne Schreie. Der Rauch des Meuchelmords umwallte uns.

»Da werden welche umgebracht«, sagte ich. »Wen bringen sie dort um?«

»Der Pole ist unruhig geworden«, antwortete mir der Bauer. »Der Pole schlachtet die Juden.«

Der Bauer nahm sein Gewehr aus dem rechten Arm und legte es in den linken. Sein Bart war schief. Er sah mich freundlich an und sagte:

»Lang sind die Nächte im Graben, sie nehmen kein Ende. Und da wünscht sich der Mensch, mit dem anderen Menschen zu sprechen. Aber wo findet man dann den anderen Menschen?«

Der Bauer drängte mir eine Zigarette auf und zündete sie mir mit der seinen an.

»Alle geben den Juden schuld«, sagte er, »wir und auch ihr. Es werden nach dem Krieg nur wenige von ihnen übrigbleiben. Wie viele Juden, rechnet man, gibt's auf der Welt?«

»Zehn Millionen«, antwortete ich und begann, das Pferd aufzuzäumen.

»Es werden nur zweihunderttausend übrigbleiben!« schrie der Bauer und packte mich an der Hand, aus Angst, daß ich fortginge. Aber ich sprang in den Sattel und ritt zu der Stelle, an der sich der Stab befand.

Der Divisionskommandeur war schon zum Aufbruch bereit. Die Ordonnanzen standen vor ihm in strammer Haltung und schliefen im Stehen. Die Schwadronen, die abgesessen waren, stiegen die feuchten Hügel hinauf.

»Unsere Reihen haben sich ganz schön gelichtet«, murmelte der Divisionskommandeur und ging.

Wir folgten ihm auf dem Weg nach Sitanez.

Wieder begann es zu regnen. Tote Mäuse wurden über die Wege geschwemmt. Der Herbst hielt unsere Herzen gefangen, und die Bäume schwankten an den Kreuzungen wie nackte Leichen, die man auf die Beine gestellt hat.

Am Morgen kamen wir nach Sitanez. Ich wohnte zusammen mit Wolkow, dem Stabsquartiermeister. Er fand für uns eine Hütte am Ende des Dorfes.

»Wein!« sagte ich zu der Bäuerin. »Wein, Fleisch und Brot!«

Die Alte saß auf dem Boden und ließ ein Kalb, das unter dem Bett versteckt war, aus ihrer Hand fressen.

»Gibt nix!« antwortete sie gleichgültig. »Ich kann mich

gar nicht mehr an die Zeit erinnern, als es was gegeben hat.«

Ich setzte mich an den Tisch, schnallte den Revolver ab und schlief ein. Nach einer Viertelstunde öffnete ich die Augen und erblickte Wolkow, der sich über das Fensterbrett beugte. Er schrieb einen Brief an seine Braut.

»Hochverehrte Walja«, schrieb er. »Können Sie sich noch an mich erinnern?«

Ich las die erste Zeile, dann zog ich Streichhölzer aus der Tasche und zündete einen Haufen Stroh auf dem Boden an. Die befreite Flamme blitzte und schoß auf mich zu. Die Alte legte sich mit der Brust auf das Feuer und erstickte es.

»Was machst du da, Pan?« sagte sie und wich entsetzt zurück.

Wolkow drehte sich um, sah die Bäuerin mit einem leeren Blick an und wandte sich wieder seinem Brief zu.

»Ich werde dich anzünden, Alte«, murmelte ich, während ich schon wieder in Schlaf fiel, »dich und dein gestohlenes Kalb.«

»Warte!« schrie die Bäuerin mit hoher Stimme. Sie lief in den Vorraum und kehrte mit Brot und einem Krug Milch zurück.

Wir hatten kaum die Hälfte davon gegessen, als draußen Schüsse fielen. Es wurden immer mehr. Es schoß schließlich ununterbrochen, und allmählich ging uns das auf die Nerven. Wir tranken die Milch aus, und Wolkow trat in den Hof, um nachzusehen, was los war.

»Ich habe dein Pferd gesattelt«, sagte er zu mir durchs Fenster. »Meins ist tot. Sie haben es durchsiebt. Hundert Schritte von hier stehen polnische Maschinengewehre.«

So war uns beiden nur ein Pferd geblieben. Wir kamen damit mit Mühe aus Sitanez hinaus. Ich saß im Sattel, und Wolkow saß hinter mir.

Die Trosse waren in voller Flucht, brüllten und versanken im Schlamm. Der Morgen ergoß sich über uns wie Chloroform auf dem Operationstisch.

»Sind Sie verheiratet, Ljutow?« fragte plötzlich Wolkow, der hinter mir saß.

»Meine Frau hat mich verlassen«, antwortete ich, nickte für einen Augenblick ein und träumte, ich schliefe im Bett.

Stille.

Unser Pferd schwankte.

»Noch zwei Werst, und unsere Stute wird zusammenbrechen«, sagte Wolkow hinter mir.

Stille.

»Wir haben die Schlacht verloren«, murmelte Wolkow und schnarchte.

»Ja«, sagte ich.

Der Verrat

Genosse Untersuchungsrichter Burdenko! Auf Ihre Frage kann ich Ihnen antworten, daß ich ein Parteibuch habe, dieses trägt die Nummer vierundzwanzig und zwei Nullen und ist auf den Namen Nikita Balmaschew ausgestellt, vom Parteikomitee in Krasnodar. Was mein Leben bis zum Jahre neunzehnhundertvierzehn betrifft, so kann ich Ihnen sagen, daß es ein häusliches war, denn ich lebte bei meinen Eltern und betätigte mich in der Landwirtschaft. Dann trat ich vom Ackerbau in die Reihen der Imperialisten über, um den Bürger Poincaré und die Henker der deutschen Revolution Ebert und Noske zu verteidigen. Und so spulte sich mein Leben ab, bis der Genosse Lenin zusammen mit dem Genossen Trotzki mein tierisch unwissendes Bajonett umdrehten und den Darm bezeichneten, für den es bestimmt war, einen neuen Darm und eine neue, dafür vorgesehene Bauchhöhle. Seit damals trage ich das Parteibuch Nummer vierundzwanzig und zwei Nullen auf der scharfen Spitze meines hellsichtigen Bajonetts, und es ist ja doch beschämend und kommt mir einfach lächerlich vor, jetzt von Ihnen, Genosse Untersuchungsrichter Burdenko, ein derartig aus der Luft gegriffenes Geschwätz über das Krankenhaus in N. zu hören. In diesem Krankenhaus habe ich viel zuviel von meinem Blut gelassen, um darauf zu schießen und es zu überfallen, was überhaupt gar nicht möglich war, indem wir doch verwundet waren und Fieber hatten, wir drei, das heißt, der Soldat Golowizin, der Soldat Kustow und ich.

Wir griffen das Haus in keiner Weise an, sondern standen lediglich in Krankenhauskitteln auf dem Platz unter den freien Bürgern jüdischer Nationalität und weinten. Und was die drei zerbrochenen Fensterscheiben betrifft, die wir mit Hilfe eines Offiziersrevolvers zerschossen haben, so muß ich mit Nachdruck darauf hinweisen, daß diese Glasscheiben gar nicht ihrer Bestimmung entsprachen, da dieselben einer Kammer angehörten, wo sie vollkommen zwecklos waren. Auch Doktor Jawajn lächelte nur, als er vom Fenster seines Krankenhauses unsere kleine Schießerei sah, was auch die soeben erwähnten freien Juden des Städtchens Kozin jederzeit bestätigen können. Gegen Doktor Jawajn, Genosse Untersuchungsrichter, führe ich als Beweismaterial nunmehr an, daß er uns drei Verwundete, das heißt, den Soldaten Golowizin, den Soldaten Kustow und mich, bereits verspottet hat, als wir zur Heilung eingeliefert wurden, indem er uns gleich zu Anfang sehr grob sagte: »Na, ihr Helden, marsch in die Badewanne, legt sofort eure Waffen und eure Kleider ab, ich will hier keine Ansteckungsgefahr und schicke das Zeug unbedingt ins Magazin.« Als der Kamerad Kustow somit sah, daß er nicht einen Menschen, sondern ein Tier vor sich hatte, trat er vor mit seinem mißhandelten Bein und sagte, daß sein scharfer kubanischer Säbel bestimmt nicht ansteckend sei, außer für die Feinde unserer Revolution, und dann wünschte er zu erfahren, ob dort im Kleidermagazin auch ein Parteikämpfer sei und nicht vielleicht irgendein Parteiloser. Jetzt bemerkte Doktor Jawajn offensichtlich, daß wir imstande waren, den Verrat klar zu erkennen. Er drehte uns den Rükken und schickte uns ohne jede Antwort in den Krankensaal, und wieder lächelte er und lächelte. Und wir brachen auf und humpelten davon auf unseren mißhandelten Beinen und hielten uns aneinander fest mit unseren zerschlagenen Armen, weil wir drei Landsleute sind, aus dem Dorf Sankt Iwan, das heißt Genosse Golowizin, Genosse Kustow und ich. Wir sind Landsleute, die dasselbe Schicksal ereilt hat, und wer ein zerschossenes Bein hatte, der hielt sich am Arm des Kameraden, und wer einen mißhandelten Arm hatte, der stützte sich auf die Schulter des Kameraden. Also, wir gehorchten dem erteilten Befehl und gingen in den Krankensaal, wo wir Kultur- und Erziehungsarbeit und Ergebenheit für die Sache zu finden erwarteten, aber es ist sehr interessant, zu erfahren, was wir gesehen haben, als wir in den Krankensaal kamen. Wir sahen Rotarmisten, ausschließlich Infanterie, die auf den gemachten Betten saßen und Dame spielten, ferner hochgewachsene Krankenschwestern mit glatter Haut, die neben den Fenstern standen und nach rechts und links lächelten. Als wir das sehen mußten, blieben wir stehen, wie vom Blitz getroffen. »Seid ihr fertig mit dem Krieg, Leute?« schrie ich den Verwundeten zu.

»Ja, wir sind fertig mit dem Krieg!« antworteten die Verwundeten und rückten die aus Brot gemachten Figuren auf dem Damebrett hin und her.

»Zu früh!« antwortete ich den Verwundeten. »Viel zu früh seid ihr Infanteristen mit dem Krieg fertig, wo der Feind fünfzehn Werst von hier auf weichen Pfoten heranschleicht, und wo man in der Zeitung ›Der Rote Kavallerist‹ über unsere internationale Lage lesen kann, daß diese eine schreckliche ist und daß sich am Horizont verschiedene Wolken befinden!« Aber meine Worte prallten an der heldenhaften Infanterie ab wie Schafsmist an der Regimentstrommel, und das ganze Gespräch endete damit, daß die Schwestern uns in unsere Betten bringen wollten und von neuem anfingen, uns damit zu quälen, daß wir die Waffen abgeben sollten, als seien wir schon besiegt. Damit machten sie Kustow derartig böse, daß man es gar nicht sagen kann. Und er riß seinen Verband ab, der sich an der linken Schulter befand, über dem blutenden Herzen eines Kämpfers und Proletariers. Als die Krankenschwestern dieses erfaßten, verstummten sie, aber nur für ganz kurze Zeit; dann begannen sie sofort wieder mit ihrem parteifeindlichen Spott, und später schickten sie Freiwillige aus, die uns, während wir schliefen, Kleider und Waffen abnehmen sollten, ja sie benutzten schließlich sogar den Vorwand kulturerzieherischer Arbeit und behaupteten, die Patienten müßten Theaterrollen spielen und dazu Weiberkleider anziehen, was sich nicht ziemt!

Unbarmherzige Krankenschwestern! Mehr als einmal versuchten sie, uns unserer Kleider wegen mit Schlafpulvern zu betäuben, so daß wir nur schichtweise und auch da nur mit einem Auge schlafen konnten, und selbst zur Verrichtung der kleinen Notdurft mußten wir in voller Uniform und mit dem Revolver in der Hand ins Klosett gehen.

Nachdem wir so eine Woche und einen Tag gelitten hatten, begannen wir, merkwürdig zu lallen, Gespenster verfolgten uns, und als wir endlich am Morgen des bewußten vierten August erwachten, bemerkten wir an uns eine Veränderung; wir lagen nämlich in diesen Weiberkitteln da, jeder mit einer Nummer, wie Zuchthäusler, ohne unsere Waffen und ohne die Kleider, die unsere Mütter uns gewebt haben, die gebrechlichen Greisinnen aus dem Kubangebiet... Und wir sahen, daß zwar die Sonne prächtig strahlte, aber die Erdflöhe von der Infanterie, denen wir so lange Widerstand geleistet hatten, machten sich lustig über uns, und mit ihnen die unbarmherzigen Krankenschwestern, die uns nämlich heimlich ein Schlafpulver eingegeben hatten, und jetzt tänzelten sie mit ihren jungen, wippenden Brüsten zu uns heran, mit Schüsseln voll Kakao, der aus lauter Milch zusammengepantscht war. Und die Infanteristen führten einen verrückten Zirkus auf und klapperten mit ihren Stöcken auf dem Boden, daß uns das Grauen packte, und zwickten uns sogar in die Schenkel, als seien wir käufliche Mädchen, und sagten, nun sei Budjonnys Erste Reiterarmee auch mit dem Krieg fertig. O nein, ihr geschniegelten Genossen mit euren komischen, vollgefressenen Bäuchen, die nachts wie Maschinengewehre rattern, wir sind mit dem Krieg noch nicht fertig! Unter dem Vorwand, unsere Notdurft zu verrichten, stiegen wir drei in den Hof hinunter und begaben uns von dort, fiebernd und mit blauen Wunden, zum Bürger Bojderman, dem Vorsitzenden des Revolutionären Kreiskomitees, ohne den es, Genosse Untersuchungsrichter Burdenko, zu dem bewußten Mißverständnis mit der Schießerei vielleicht gar nicht gekommen wäre, weil uns nämlich dieser Vorsitzende des Revolutionären Kreiskomitees ganz durcheinandergebracht hat. Und obwohl ich kein ausreichendes Beweismaterial gegen den Bürger Bojderman vorbringen kann, kann ich doch sagen, daß wir gleich, als wir in sein Zimmer kamen, gegen diesen bejahrten Bürger jüdischer Nationalität in seiner

Pelzjacke mißtrauisch wurden; besagter Bürger Bojderman nämlich saß an einem Tisch, der mit Papier überhäuft war, so daß es sehr häßlich anzusehen war, und ließ seine Blicke ratlos hin und her wandern; daß er nichts verstand, sondern mit diesem vielen Papier bloß Ärger verursachte, war zu bemerken, als unbekannte, aber verdiente Kämpfer energisch Lebensmittel von ihm forderten, während Arbeiter aus dem Kreis ihn auf die Konterrevolutionäre in den Dörfern der Umgebung aufmerksam machten, und zugleich Arbeiter aus der Stadt von ihm verlangten, sofort und ohne besondere Zeremonien vor dem Revolutionären Kreiskomitee getraut zu werden. Aber nun fingen wir an, mit kräftiger Stimme unseren Fall vorzubringen und von dem gemeinen Verrat im Spital zu berichten. Doch der Bürger Bojderman starrte uns nur an und ließ wieder seine Blicke ratlos umherwandern und klopfte uns auf die Schultern, was eine richtige Behörde nicht tut und was einer solchen unwürdig ist, und er brachte keinerlei Resolution zustande, sondern erklärte tatsächlich: »Genossen Kämpfer, wenn ihr Mitleid mit der Sowjetmacht habt, dann verlaßt diesen Raum!« Darauf ließen wir uns natürlich nicht ein, das heißt, den Raum zu verlassen; wir forderten ihn vielmehr auf, sich vor uns zu rechtfertigen, und als wir dieses nicht erreichten, kamen wir ganz von Sinnen. Und so, ganz von Sinnen, gingen wir auf den Platz vor dem Krankenhaus, wo wir die Miliz entwaffneten, die aus einem Kavalleristen bestand, und dann zerschossen wir mit Tränen in den Augen diese drei armseligen Fensterscheiben der bewußten Kammer. Doktor Jawajn, der an seinem Fenster Zeuge dieser unstatthaften Handlung war, verzog sein Gesicht und lächelte – und das in einem Augenblick, da dem Genossen Kustow nur noch vier Tage bis zu seinem Tod an den Folgen seiner Wunde geblieben waren!

In seinem kurzen, roten Heldenleben grämte sich der Genosse Kustow unendlich wegen dieses Verrats, der am Fenster über uns lächelte und das rohe Proletariat verspottete, aber das Proletariat, Genossen, weiß selbst, daß es roh ist, und das schmerzt uns, unsere Seele verbrennt, und dieses Feuer zerstört das Gefängnis unseres Körpers und der widerlichen Rippen.

Der Verrat, sage ich Ihnen, Genosse Untersuchungsrichter Burdenko, lächelt über uns durchs Fenster, der Verrat schleicht auf leiser Sohle um unseren Herd, der Verrat wirft seine Stiefel über die Schulter, damit die Bretter des Fußbodens nicht knacken, in dem Haus, das er ausplündert.

Tschesniki

Die Sechste Division sammelte sich in dem Wald beim Dorf Tschesniki und wartete auf das Signal zum Angriff. Aber Pawlitschenko, der Divisionskommandeur, wartete noch auf die Zweite Brigade und gab das Zeichen nicht. Da ritt Woroschilow auf den Divisionskommandeur zu. Sein Pferd berührte die Brust des Kommandeurs. Woroschilow sagte:

»Wir vertrödeln nur unsere Zeit, Kommandeur der Sechsten Division, wir trödeln hier schon viel zu lang herum.«

»Die Zweite Brigade«, erwiderte Pawlitschenko mit dumpfer Stimme, »ist Ihrem Befehl gemäß hierher unterwegs.«

»Das dauert zu lange«, sagte Woroschilow und zog den Zügel fester. »Viel zu lange.«

Pawlitschenko trat einen Schritt zurück.

»Im Namen des Gewissens«, schrie er und begann, seine feuchten Finger zu kneten. »Im Namen des Gewissens, hetzen Sie mich nicht, Genosse Woroschilow!«

»Ich soll ihn nicht hetzen!« flüsterte Klim Woroschilow, Mitglied des Revolutionären Kriegs-Sowjets, und schloß die Augen. Er saß mit geschlossenen Augen auf dem Pferd, schwieg und bewegte die Lippen. Ein Kosak in Bauernschuhen und mit einer Melone auf dem Kopf starrte ihn verblüfft an. Der Armeestab, hochgewachsene Generäle in Hosen, die röter waren als Menschenblut, schnitten Grimassen hinter seinem Rücken und machten sich über ihn lustig. Die galoppierenden Schwadronen lärmten durch den Wald wie ein Wind und brachen die Zweige. Woroschilow kämmte mit seiner Mauserpistole die Mähne des Pferds.

»Armeekommandeur!« rief er und wandte sich zu Budjonny. »Sag den Leuten ein paar aufmunternde Worte. Da steht der Pole, auf dem Hügel, da steht er wie ein Standbild und lacht uns aus!«

In der Tat konnte man durch den Feldstecher die Polen sehen. Der Armeestab saß auf, und die Kosaken sammelten sich um ihn.

Iwan Akinfiew, ehemals Fahrer des Revolutionstribunals, ritt an mir vorbei und streifte mich mit seinem Bügel.

»Du bist an der Front, Iwan?«, sagte ich zu ihm. »Hast du denn überhaupt noch eine einzige Rippe?«

»Ich hab' schon genug Rippen«, antwortete Akinfiew, der ganz schief auf dem Pferd saß. »Laß uns ein bißchen hören, was der Bursche da sagt.«

Er ritt weiter und starrte gerade auf Budjonny.

Dieser erzitterte und sagte leise:

»Leute«, sagte er, »unsere Lage ist nicht gerade rosig. Wir sollten ein bißchen munterer sein.«

»Führ uns nach Warschau!« schrie der Kosak in den Bauernschuhen und mit der Melone; seine Augen traten hervor, und er schnitt mit dem Säbel die Luft entzwei.

»Auf nach Warschau!« schrie Woroschilow, ließ sein Pferd sich bäumen und stieß in die Mitte der Schwadronen vor.

»Kämpfer und Kommandeure!« sagte er leidenschaftlich. »In Moskau, in der uralten Hauptstadt, kämpft eine Macht, wie die Welt sie noch nicht gesehen hat... Die Arbeiter- und Bauernregierung, die erste auf der Welt, befiehlt euch, Kämpfer und Kommandeure, den Feind anzugreifen und zu siegen!«

»Sä-bel her-aus!« sang Pawlitschenkos Stimme von weitem. Er hielt sich hinter dem Rücken des Armeekommandanten. Seine aufgeworfenen, himbeerfarbenen Lippen hatten einen schaumigen Glanz. Die rote Kosakenjacke des Divisionskommandeurs war zerrissen, sein fleischiges Gesicht war auf abstoßende Weise verunstaltet. Mit der Klinge seines kostbaren Säbels grüßte er Woroschilow.

»Meinem revolutionären Eid gemäß melde ich dem Revolutionären Kriegs-Sowjet der Ersten Reiterarmee«, sagte der Divisionskommandeur mit heiserer Stimme und sah sich um, »daß die Zweite Unbesiegbare Kavalleriebrigade sich im Galopp in Anmarsch befindet.«

»Also los!« antwortete Woroschilow und winkte mit der Hand. Er zog an den Zügeln. Budjonny ritt neben ihm her. Sie ritten auf großen Fuchsstuten nebeneinander, sie trugen die gleichen Kosakenröcke und die gleichen glänzenden Hosen mit silbernen Streifen. Mit Geschrei folgten ihnen die Kämpfer in unregelmäßiger Kolonne, und bleicher Stahl schimmerte im eitrigen Blut der Herbstsonne. Aber ich hörte aus dem Kosakengeschrei keine große Begeisterung. In Erwartung des Angriffs ging ich tiefer in den Wald, zum Troß.

Dort lagen im Gras zwei rundliche Krankenschwestern mit Schürzen über ihren jungen Brüsten. Sie stießen einander an und drehten sich dann wieder den Rücken zu. Sie kicherten mit ersterbenden Lauten, wie es junge Mädchen tun, und zwinkerten mir von unten herauf zu, ohne den Blick zu senken. So zwinkern in den Dörfern die Mädchen einem herangewachsenen Burschen zu, die Bauernmädchen mit nackten Waden, die wie vergnügte junge Hunde quietschten und draußen auf den harten Kissen der Heuhaufen schlafen. Unweit von den Schwestern lag im Fieberwahn ein verwundeter Rotarmist, und Stjopka Duplischtschew, der großmäulige Kosak, striegelte Orkan, den Vollbluthengst, der dem Divisionskommandeur gehörte und von Ljuljuscha abstammte, dem berühmten Rennpferd aus Rostow. Der Verwundete erwähnte unverständlich und hastig den Namen Schuja, phantasierte von Schneestürmen und vom Flachsbrechen, und Duplischtschew übertönte sein monotones Geschwätz mit dem Lied von der dicken Generalsfrau und der Ordonnanz. Er sang immer lauter, fuchtelte mit dem Striegel und putzte das Pferd. Doch da unterbrach ihn die dickliche Saschka, die Schwadronsdame. Sie ritt auf den Burschen zu und sprang vom Pferd.

»Werden wir uns einigen, he?« fragte Saschka.

»Hau ab«, antwortete Duplischtschew, drehte ihr den Rücken und begann, in Orkans Mähne Bänder zu flechten.

»Bist du dein eigener Herr oder nicht, Stjopka?« fragte Saschka.

»Hau ab«, wiederholte Stjopka. »ich habe es dir schon oft genug gesagt, und ich bleib' dabei.«

Er flocht noch mehr Bänder in die Mähne und schrie mir plötzlich voll Verzweiflung zu:

»Sehen Sie, Kiril Wassilitsch, wie sie mich quält! Den ganzen Monat schon quält sie mich Unschuldigen. Wohin ich auch gehe – sie taucht vor mir auf. Wohin ich auch reiten will – sie stellt sich mir in den Weg. Ich soll ihr den Hengst zur Verfügung stellen, sie will, daß der Hengst ihre Stute deckt! Und der Divisionskommandeur sagt mir immer wieder, sozusagen als Befehl: Hinter diesem Hengst, Stjopka, werden viele her sein, und sie werden dich nicht in Ruhe lassen – aber du darfst ihn über keine Stute lassen, ehe er nicht mindestens drei Jahre alt ist!«

»Euch hat man schon seit eurem fünfzehnten Lebensjahr gelassen«, murmelte Saschka und drehte sich um. »Seit dem fünfzehnten Lebensjahr. Dabei hat man nichts von euch. Ihr steht nur herum und zieht den Rotz hoch.« Sie ging zu ihrer Stute, zog den Sattelgurt fester und machte sich zum Aufbruch bereit. An ihren Schuhen klirrten die Sporen, ihre feingestrickten Strümpfe waren voll Schmutz, an dem Heu klebte, und gewaltig schwangen ihre riesigen Brüste.

»Ich habe einen Silberrubel mitgebracht«, sagte Saschka scheinbar beiläufig und setzte den Fuß in den Bügel. »Ich habe ihn mitgebracht, und jetzt muß ich ihn wieder mitnehmen.«

Sie zog zwei neue silberne Fünfzigkopekenstücke hervor und spielte mit ihnen auf der Handfläche.

»Na, vielleicht können wir uns einigen, ha?« sagte jetzt Duplischtschew, ohne den Blick von dem Silber zu wenden, und führte den Hengst hin. Saschka suchte eine Mulde in der Lichtung und ließ ihre Stute dort stehen.

»Wie es scheint, kennst du nichts auf der Welt als deinen Hengst«, sagte sie zu Stjopka und brachte den Hengst in die richtige Stellung. »Meine Stute ist schon zwei Jahre in der Armee und seither nicht gedeckt worden, und ich habe mir gedacht, vielleicht könnte ich noch ein Vollblut herauskriegen.«

Saschka erledigte die Sache mit dem Hengst und führte dann ihre Stute beiseite.

»Na also, Mädchen, jetzt haben wir's«, flüsterte sie, küßte ihre Stute auf das feuchte, scheckige Maul, von dem in Fäden der Speichel herunterfloß. Sie wischte ihren Mund an der Pferdemähne ab und horchte auf den Lärm, der durch den Wald hallte.

»Die Zweite Brigade kommt«, sagte Saschka und drehte sich zu mir. »Wir müssen gehen, Ljutitsch.«

»Ob die Brigade kommt oder nicht!« schrie Duplischtschew und verschluckte sich. »Du rückst jetzt mit dem Geld heraus!«

»Wart nur, ob ich zahlen werde«, murmelte Saschka und sprang auf ihre Stute.

Ich ritt ihr nach, und wir gingen in Galopp über. Duplischtschews Jammergeschrei hallte hinter uns her, vermischt mit dem Pfeifen von Schüssen.

»Hört mich an!« schrie der Kosakenbursche aus Leibeskräften und lief durch den Wald, so schnell er konnte.

Der Wind sprang zwischen den Zweigen wie ein irrsinnig gewordener Hase. Die Zweite Brigade flog zwischen den galizischen Eichen dahin, der gleichgültige Staub der Kanonade erhob sich über der Erde wie Rauch über einer stillen Hütte. Und auf das Zeichen des Divisionskommandeurs gingen wir zum Angriff über, zum unvergeßlichen Angriff von Tschesniki.

Nach der Schlacht

Dies ist die Geschichte meines Streits mit Akinfiew.

Am 31. fand die Schlacht bei Tschesniki statt. Die Schwadronen hatten sich in dem Wald bei dem Dorf versammelt, und um sechs Uhr abends griffen sie den Feind an. Der erwartete uns auf einer Anhöhe, drei Werst entfernt. Diese drei Werst legten wir auf unseren schon entsetzlich erschöpften Pferden im Galopp zurück, und als wir den Hang hinaufritten, sahen wir vor uns eine Todesmauer aus schwarzen Uniformen und bleichen Gesichtern. Es waren die Kosaken, die schon am Anfang des Feldzugs zu den Polen übergegangen waren und die der Kosakenkapitän Jakowljew zu einer Brigade zusammengeschlossen hatte. Er hatte seine Kavalleristen zum Karree formiert und erwartete uns mit blankem Säbel. In seinem Mund blitzte ein Goldzahn, der schwarze Bart lag ihm auf der Brust wie eine Ikone auf einem Toten. Zwanzig Schritt von uns eröffneten die feindlichen Maschinengewehre das Feuer, und aus unseren Reihen stürzten die Verwundeten auf die Erde. Wir ritten über sie hinweg und attackierten den Feind. Aber sein Karree hielt stand. Und wir ergriffen die Flucht.

So trugen die Sawinkow-Leute einen kurzfristigen Sieg über die Sechste Division davon. Sie siegten, weil sie sich vor der heranflutenden Lava unserer Schwadronen nicht zurückgezogen. Jakowljew schlug unseren Angriff ab, und unsere Schwadronen mußten zurück, ohne ihre Säbel mit Verräterblut gerötet zu haben.

Fünftausend Mann – unsere ganze Division – stürzten den Abhang hinunter. Der Feind blieb auf dem Hügel. Er schien an seinen phantastischen Sieg nicht ganz zu glauben und zögerte deshalb, uns zu verfolgen. So blieben wir am Leben und kamen ohne allzu große Verluste zurück ins Tal, wo uns Winogradow, der Kommissar der Sechsten Division, entgegenkam. Winogradow schwirrte auf einem wildgewordenen Pferd umher und versuchte, die fliehenden Kosaken in die Schlacht zurückzujagen.

»Ljutow!« schrie er, als er mich erblickte. »Treib die Kämpfer zurück, oder wehe dir!«

Winogradow schlug mit dem Kolben seiner Mauserpistole auf seinen wankenden Hengst ein, kreischte und schrie die Leute an. Ich kam von ihm los und ritt zu dem Kirgisen Gulimow, der gerade daherkam.

»Zurück, Gulimow!« sagte ich. »Dreh dein Pferd um!«

»Dreh du deine eigene verdammte Stute um!« antwortete Gulimow, spähte um sich, schoß, und sein Schuß versengte mir das Haar über dem Ohr.

»Dreh dein Pferd um!« flüsterte Gulimow, packte mich an den Schultern und begann mit der anderen Hand, seinen Säbel herauszuziehen. Sein Säbel steckte fest in der Scheide. Der Kirgise zitterte, sah um sich, preßte mir die Schulter zusammen, und seine Augen kamen immer näher auf mich zu.

»Du reitest voran«, sagte er kaum hörbar, »und ich hinter dir her.« Und er schlug mich mit der Klinge seines Säbels, den er endlich herausgezogen hatte, leicht vor die Brust. Vor der Nähe des drohenden Todes befiel mich Übelkeit. Mit der Handfläche schob ich das Gesicht des Kirgisen, das heiß war wie ein Stein in der Sonne, von mir und krallte meine Nägel hinein. Warmes Blut rann unter meinen Nägeln hervor und kitzelte die Finger. Ich löste mich von Gulimow, ganz außer Atem, wie nach einem langen Lauf. Mein Pferd, mein geplagter Freund, ging im Schritt. Ich ritt, ohne irgend etwas zu sehen; ich ritt weiter, ohne mich umzudrehen, bis ich auf Worobjow stieß, den Kommandeur der Ersten Schwadron. Worobjow suchte seine Furiere und konnte sie nicht finden. Wir kamen zusammen in das Dorf Tschesniki und setzten uns dort neben Akinfiew, den ehemaligen Fahrer des Revolutionstribunals, auf eine Bank. An uns ging Saschka vorbei, die Krankenschwester des Einunddreißigsten Regiments, und zwei Kommandeure setzte sich zu uns auf die Bank. Die Kommandeure dösten und schwiegen. Einer von ihnen, der eine schwere Quetschung erlitten hatte, wackelte immerzu mit dem Kopf und zwinkerte mit den hervorquellenden Augen. Saschka ging weg, um das Lazarett wegen des Verwundeten zu verständigen, und kehrte dann zu uns zurück, wobei sie ihr Pferd am Zügel hinter sich herzog. Die Stute sträubte sich und rutschte auf dem feuchten Lehmboden.

»Wo segelst du hin?« fragte Worobjow die Krankenschwester. »Setz dich zu uns, Saschka.«

»Ich setze mich nicht zu euch«, antwortete Saschka und schlug die Stute auf den Bauch. »Ich will mich nicht zu euch setzen.«

»Und warum nicht?« rief Worobjow lachend. »Bist du davon abgekommen, Saschka, mit Männern Tee zu trinken?«

»Bei dir ja!« sagte die Frau, drehte sich zu dem Kommandeur und warf die Zügel weit von sich. »Bei dir bin ich davon abgekommen, Worobjow. Mit dir will ich keinen Tee trinken, denn heute habe ich euch Helden gesehen und deine Schande, Kommandeur.«

»Wenn du dabei warst«, murmelte Worobjow, »dann hättest du schießen sollen.«

»Schießen?« sagte Saschka traurig. Sie zog Verbandszeug aus ihrer Tasche. »Mit dem da?«

Und da mischte sich Akinfiew ein, der ehemalige Fahrer des Revolutionstribunals; mit ihm hatte ich noch eine alte Rechnung zu begleichen.

»Nein, du hast nicht zu schießen, Saschka«, sagte er. »Dir kann niemand etwas vorwerfen. Aber Vorwürfe mache ich den Burschen, die überall ihre Nase hineinstecken, aber keine Patronen in ihre Pistolen... Du warst beim Angriff dabei!« schrie mich Akinfiew plötzlich an, und sein Gesicht zuckte, »aber du hast keine Patronen in deine Pistole gesteckt! Warum nicht?«

»Laß mich in Ruhe, Iwan«, sagte ich zu Akinfiew, aber er ließ nicht von mir ab, sondern kam immer näher auf mich zu, schief und epileptisch und ohne Rippen, wie er war.

»Der Pole hat auf dich geschossen, aber du nicht auf ihn!« murmelte der Kosak, wankte und drehte sich in seinen zerschlagenen Hüften. »Warum nicht?«

»Der Pole hat auf mich geschossen«, antwortete ich rauh, »und ich habe nicht auf ihn geschossen.«

»Das heißt, du bist ein Molokane«, flüsterte Akinfiew und wich zurück.

»Ja, ich bin ein Molokane!« sagte ich noch lauter. »Was willst du von mir, Iwan?«

»Ich will, daß du ein normaler Mensch wirst!« schrie Iwan in wildem Ausbruch. »Ein normaler Mensch! Und was die Molokanen betrifft – ich kenne das Gesetz. Man kann sie in den Himmel schicken, denn sie sind ja beim lieben Gott zu Hause.«

Der Kosak fuhr fort, über die Molokanen herumzuschreien, während sich eine Menge um uns ansammelte. Ich begann, mich zurückzuziehen, aber er holte mich ein und schlug mir mit der Faust in den Rücken.

»Du hast keine Patronen hineingetan!« flüsterte Akinfiew mit ersterbender Stimme direkt über meinem Ohr. Er steckte mir seine großen Daumen in den Mund und versuchte, ihn mir auseinanderzureißen. »Du glaubst an Gott, du Verräter!«

Er zerrte und riß an meinem Mund. Da schob ich den Epileptiker von mir und schlug ihm ins Gesicht. Akinfiew stürzte seitlich auf die Erde und begann zu bluten.

Dann trat Saschka mit den schwingenden Brüsten auf ihn zu. Die Frau begoß Iwan mit Wasser und zog aus seinem schwarzen Mund eine langen Zahn, der dort gewackelt hatte wie eine Birke auf kahler Straße.

»Die Hähne sind nur darauf aus, einander die Kämme auszureißen«, sagte Saschka. »Ich möchte am liebsten nichts mehr von euch sehen.«

Sie sagte das voll Bitterkeit und führte den zerschlagenen Akinfiew mit sich weg. Ich begab mich ins Dorf Tschesniki, das im unermüdlichen galizischen Regen schwamm.

Das Dorf, in Regen gehüllt, wuchs wie im Märchen, und die purpurne Tonerde floß ihm aus traurigen Wunden. Der erste Stern blitzte über meinem Kopf und tauchte in den Wolken unter. Der Regen peitschte die Weiden und verlor an Stärke. Der Abend flog in den Himmel wie ein Schwarm Vögel, und die Dunkelheit legte mir ihren nassen Kranz auf die Stirn. Ich fühlte, wie alle Kräfte mich verließen und ging gebeugt unter dem Sterbekranz dahin und bat das Schicksal um die einfachste aller Gaben – die Fähigkeit, einen Menschen zu töten.

Das Lied

In unserer Ruhestellung im Dorf Budjatitschi geriet ich an eine böse Wirtin. Sie war Witwe, sie war arm, viele Schlösser an ihren Kisten habe ich erbrochen, aber zu essen habe ich nichts gefunden.

Es blieb mir nur übrig, ihr mit List beizukommen. Und einmal, als ich früher nach Hause kam, vor der Abenddämmerung, sah ich, wie sie den noch warmen Herd mit den Eisenringen verschloß. Es schien mir in der Hütte nach Kohlsuppe zu riechen. Vielleicht war in der Suppe auch Fleisch. Ich ahnte Fleisch in der Kohlsuppe und legte den

Revolver auf den Tisch. Aber die Alte ließ sich nicht einschüchtern. Ihre Züge verkrampften sich und ebenso ihre schwarzen Finger. Ihr Gesicht wurde finster, und ihre Augen sahen mich erschrocken an, mit seltsamem Haß. Doch nichts hätte sie gerettet; ich hätte sie mit dem Revolver erpreßt, wenn in diesem Augenblick nicht Saschka Konjajew, genannt Saschka Christus, dazwischengekommen wäre.

Er betrat die Hütte mit einer Harmonika unter dem Arm, seine herrlichen Beine bewegten sich graziös in den ausgetretenen Stiefeln.

»Komm, machen wir Musik«, sagte er und sah mich an mit seinen träumerischen, eisblauen Augen. »Machen wir Musik«, sagte Saschka, setzte sich auf die Bank und spielte ein Präludium.

Sein Präludium schien aus weiten Fernen zu kommen. Der Kosak brach es ab, und wieder ruhten seine blauen Augen auf mir, mit einem Blick voll Trauer. Er rückte zur Seite. Dann fiel ihm ein, womit er mir eine Freude machen konnte, und er begann ein Lied vom Kuban.

»Stern der Felder«, sang er, »Stern der Felder über meines Vaters Haus – meiner Mutter schmerzensreiche Hand…«

Ich liebte dieses Lied. Es versetzte mich in erhabene Verzückung. Saschka wußte das, denn wir beide hatten das Lied zum erstenmal 1919 im Dorf Kagalnitzkaja an der Don-Mündung gehört.

Ein Jäger, der sich in verbotenen Gewässern herumtrieb, hatte uns das Lied gelehrt. In jenen Gewässern laichen die Fische, und große Vogelschwärme nisten dort. In den Armen der Don-Mündung gedeihen die Fische in solchem Überfluß, daß man sie mit Eimern und sogar mit den Händen fangen kann, und wenn man das Ruder ins Wasser taucht, bleibt es aufrecht stehen, zwischen den dichtgedrängten Fischen eingeklemmt, und wird dann von ihnen mitgezogen. Das haben wir selbst gesehen; wir werden die verbotenen Gewässer bei Kagalnitzkaja nie vergessen. Alle Behörden haben dort Fischfang und Jagd verboten, und das mit Recht, aber im Jahr 1919 wütete an der Don-Mündung grausamer Krieg, und der Jäger Jakow, der seiner unerlaubten Tätigkeit vor unseren Augen nachging, schenkte, damit wir ihn gewähren ließen, unserem Schwadronssänger Saschka Christus die Harmonika. Er lehrte Saschka alle seine Lieder; viele von ihnen hatten uralte, herzbewegende Melodien. Wir verziehen dem schlauen Jäger alles, weil wir seine Lieder brauchten. Denn das Ende des Krieges war nicht abzusehen, und Saschka allein war imstande, unseren Leidensweg mit Liedern zu erleichtern, bei denen uns die Tränen kamen. Eine blutige Spur bezeichnete diesen Weg, doch darüber erhob sich das Lied. So war es im Kuban-Gebiet und im Feldzug gegen die Grünen, so war es im Ural und im Vorgebirge des Kaukasus, und so ist es geblieben bis auf den heutigen Tag. Wir brauchen die Lieder, denn das Ende des Krieges ist nicht abzusehen, und Saschka Christus, der Sänger der Schwadron, ist noch nicht reif zum Sterben.

Und an diesem Abend, als ich mir über die Kohlsuppe der Wirtin böse Gedanken machte, besänftigte mich Saschka mit seiner gedämpften, getragenen Stimme.

»Stern der Felder«, sang er. »Stern der Felder über meines Vaters Haus – meiner Mutter schmerzensreiche Hand...«

Ich hörte ihm zu, in der Ecke ausgestreckt, auf meinem verfaulenden Strohsack. Der Traum drang mir ins Mark, der Traum ließ das Stroh unter mir beben, durch seinen glühenden Schleier erkannte ich kaum mehr die alte Frau, die mit der Hand ihre welke Wange stützte. Sie senkte ihren von den Jahren angenagten Kopf und stand unbeweglich an der Wand; sie rührte sich auch nicht, als Saschka aufhörte zu spielen. Er stellte die Harmonika zur Seite, gähnte ein bißchen, wie nach einem langen Traum, und lachte. Als er dann bemerkte, wie verwahrlost die Hütte der Witwe war, wischte er den Schmutz von der Bank und holte einen Eimer Wasser.

»Siehst du, mein Herz«, sagte die Wirtin zu ihm, während sie ihren Rücken an der Tür rieb, »siehst du, dein Vorgesetzter da ist vorgestern hier hereingekommen, hat mich angeschrien und mit den Füßen gestampft, hat alle meine Schlösser aufgebrochen und mir schließlich mit der Waffe gedroht. Das ist eine Sünde vor Gott, mir alten Frau mit der Waffe zu drohen.«

Sie rieb sich noch einmal an der Tür und breitete dann Felle über ihren Sohn, der mit Lumpen bedeckt in einem Bett unter der Ikone lag und die ganze Zeit über geschnarcht hatte. Es war ein Stummer mit einem weißen, aufgedunsenen Kopf und geschwollenen Füßen, die so groß waren wie die eines ausgewachsenen Bauern. Seine Mutter wischte ihm die schmutzige Nase und kehrte zum Tisch zurück.

»Mütterchen«, sagte Saschka und berührte ihre Schulter. »Wenn Sie wollen, kann ich Ihnen gern einen Gefallen tun.«

Aber die Frau schien seine Worte gar nicht gehört zu haben.

»Ich habe überhaupt keine Kohlsuppe«, sagte sie und stützte wieder ihre Wange. »Es ist doch schon längst nichts mehr da von meiner Kohlsuppe. Die Leute drohen mir immer nur mit der Waffe. Und dann kommt endlich einmal ein guter Mensch, der mit gefallen würde – und inzwischen bin ich so alt und elend geworden, daß ich nicht einmal an der Sünde mehr Freude haben könnte.«

Sie klagte eintönig weiter, schob ihren stummen Sohn zur Wand und legte sich hin. Saschka legte sich neben sie auf das Lumpenbett, und auch ich wurde müde in meiner Ecke und dachte mir Träume aus, um mit schönen Gedanken einzuschlafen.

Argamak

Ich beschloß, mich an die Front zu melden. Als der Divisionskommandeur davon hörte, runzelte er die Stirn.

»Was mischst du dich da ein? Du wirst da stehen und in die Luft starren, und man wird dich zum Teufel jagen!«

Aber ich blieb dabei. Und nicht nur das, meine Wahl fiel auf die Division, die am häufigsten ins Gefecht geworfen wurde, auf die Sechste. Man teilte mich der Vierten

Schwadron des Dreiundzwanzigsten Kavallerieregiments zu. Die Schwadron kommandierte ein Schlosser aus der Fabrik von Brjansk, Baulin, den Jahren nach fast noch ein Knabe. Um sich Autorität zu verschaffen, hatte er sich einen Bart wachsen lassen. Traurige Strähnen verfilzten sich auf seinem Kinn. Für seine zweiundzwanzig Jahre war er überhaupt nicht eitel. Diese Eigenschaften, die Tausende mit Baulin gemeinsam hatten, haben wesentlich zum Sieg der Revolution beigetragen. Baulin war hart, kurz angebunden, eigensinnig. Sein Lebensweg war schon entschieden. Er kannte keinen Zweifel an der Richtigkeit dieses Weges. Entbehrungen ertrug er leicht. Er war imstande, im Sitzen zu schlafen. Im Schlafen umklammerte er eine Hand mit der anderen. Wachte er auf, so vollzog sich der Übergang vom Schlafen ins Wachen, ohne daß man es merkte. Unter Baulins Kommando konnte ich keine Vergünstigungen erwarten.

Der Beginn meines Dienstes schien unter einem guten Stern zu stehen. Man gab mir ein Pferd. Weder die Kavalleriereserve noch die Bauern hatten Pferde. Der Zufall war mir zu Hilfe gekommen: Der Kosak Tichomolow tötete, ohne jemanden zu fragen, zwei gefangene Offiziere. Man hatte ihm befohlen, sie zum Brigadestab zu führen, denn man erhoffte sich von ihnen wichtige Informationen. Tichomolow brachte sie jedoch nicht an ihren Bestimmungsort. Man beschloß zuerst, ihn vor das Revolutionstribunal zu stellen, überlegte sich's dann aber anders. Der Schwadronskommandeur Baulin verhängte über ihn eine schrecklichere Strafe, als das Revolutionstribunal es je vermocht hätte: Man nahm Tichomolow seinen Hengst weg, der Argamak hieß, und versetzte den Kosaken zum Troß.

Die Plagen, die ich mit diesem Argamak auszustehen hatte, überstiegen beinahe die Grenzen menschlicher Kraft. Tichomolow hatte das Pferd aus seiner Heimat, dem Terek-Gebiet, mitgebracht. Es war an die Kosakengangart gewöhnt, eine besondere, harte, wilde, überraschende Art zu laufen. Argamaks Schritt war lang, gedehnt, eigensinnig. Mit diesem teuflischen Schritt trug er mich aus den Reihen, trennte mich von der Schwadron, und ich irrte, jeder Orientierung bar, Tag und Nacht auf der Suche nach meiner Einheit umher, geriet in Gebiete, die der Feind besetzt hielt, nächtigte in Gräben, schloß mich fremden Regimentern an und wurde wieder davongejagt. Meine Reitkunst beschränkte sich auf die Erfahrung, die ich während des Krieges gegen die Deutschen in einer Artillerie-Einheit der Fünfzehnten Infanteriedivision gesammelt hatte. Meist hatte ich auf der Munitionskiste gesessen, und selten hatte ich Gelegenheit gehabt, auf einem Pferd der Artilleriebespannung zu reiten. Ich konnte mich an den harten, wilden Schritt Argamaks nicht gewöhnen. All die teuflischen Eigenschaften, die zu Tichomolows Degradierung geführt hatten, schien auch sein Pferd zu besitzen. Auf dem langen dürren Rücken des Hengstes wurde ich durchgerüttelt wie ein Sack. Dabei rieb sich sein Rücken wund, und es bildeten sich offene Stellen. Metallisch schillernde Fliegen setzten sich darauf, und Streifen geronnenen Bluts gingen ihm bis zum Bauch. Auch Argamaks Beine wurden wund, denn er war schlecht beschlagen; seine Hinterbeine schwollen in den Kniegelenken an und wurden dick wie die Beine eines Elefanten. Sein Rumpf aber wurde mager. Seine Augen überzogen sich mit dem besonderen Glanz, den man bei gequälten Pferden bemerkt, mit dem Schimmer der Hysterie. Er ließ sich nicht satteln.

»Du richtest das Pferd zugrunde, Vieräugiger«, sagte der Zugführer.

Die Kosaken starrten mich an. Sie schwiegen in meiner Gegenwart. Aber hinter meinem Rücken berieten sie, wie Räuber sich beraten, unbeweglich, schläfrig und treubrüchig. Sie baten mich nicht einmal mehr, ihnen ihre Briefe zu schreiben.

Die Rote Reiterarmee eroberte Nowograd-Wolinsk. In vierundzwanzig Stunden mußten wir sechzig bis achtzig Kilometer reiten. Wir näherten uns Rowno. Die Ruhepausen waren nicht der Rede wert, und in jeder Nacht hatte ich denselben Traum.

Ich preschte auf Argamak dahin. Neben dem Weg brennen Feuer. Die Kosaken kochen ab. Ich reite an ihnen vorbei, und die meisten wenden mir keinen Blick zu. Einige begrüßen mich, die andern kümmern sich überhaupt nicht um mich. Mir ist klar: ihre Gleichgültigkeit zeigt, daß es an mir nichts Ungewöhnliches gibt. Ich reite wie alle, sie brauchen mich nicht anzusehen. Und da reite ich meinen Weg weiter und bin glücklich.

Die Wirklichkeit war nicht imstande, meine Sehnsucht nach Frieden und Glück zu befriedigen, deshalb hatte ich solche Träume.

Tichomolow sah ich nie. Aber ich wußte, daß er am Ende der Marschkolonnen, in den endlosen Ausläufern der Reihen vollgestopfter Wagen, auf mich lauerte.

Einmal sagte der Zugführer zu mir: »Paschka kränkt sich schrecklich. Wie kannst du nur so sein?«

»Wieso? Ich gehe ihn doch gar nichts an.«

»Anscheinend doch.«

»Hoffentlich glaubt er nicht, daß ich ihm unrecht getan habe.«

»Hast du es denn nicht getan?«

Paschkas unsichtbarer Haß verfolgte mich durch alle Wälder und über alle Flüsse. Ich spürte ihn auf meiner Haut und schauderte davor. Seine blutunterlaufenen Augen schienen immerzu auf meinen Weg gerichtet.

»Man hat mir gesagt, daß du mich einen Feind genannt hast«, sagte ich da eines Tages zu Baulin. »Warum?«

Der Schwadronskommandeur ritt an mir vorbei und gähnte. »Es ist nicht mein Kummer«, antwortete er, »es ist dein Kummer.«

Argamaks Rücken heilte zu, doch später gingen die Wunden wieder auf. Ich legte drei Decken unter den Sattel, was mich am Reiten hinderte, und trotzdem vernarbten die Wunden nicht. Wenn ich daran dachte, daß ich auf offenen Wunden saß, brach mir der Schweiß aus.

Ein Kosak aus unserem Zug namens Bisjukow war Tichomolows Landsmann und kannte Paschkas Vater, dort am Terek.

»Paschkas Vater«, sagte mir einmal Bisjukow, »züchtet Pferde zu seinem Vergnügen, er ist ein Teufel von Reiter. Wenn er in ein Gestüt kommt, dieser Büffel, sucht er sich sofort ein Pferd aus. Man führt es ihm zu, er stellt sich breitbeinig vor das Pferd und betrachtet es... Und was glaubst du, wozu er dann imstande ist? Holt mit der Faust aus und schlägt das Pferd zwischen die Augen, und aus ist es! ›Warum, Kalistrat, hast du das Tier umgebracht?‹ ›Es paßt mir nicht, so ein Pferd zu reiten – dieses Pferd gefällt mir nicht – aber ich habe ein gutes Pferd schrecklich gern…‹ Ein Teufel von Reiter, sage ich dir!«

Und Argamak, den Paschkas Vater ausgesucht und am Leben gelassen hatte, war ausgerechnet an mich geraten. Was sollte ich tun? Ich schmiedete eine Menge Pläne. Aber am Ende enthob mich der Krieg aller dieser Sorgen.

Die Rote Reiterarmee stürmte auf Rowno. Die Stadt wurde erobert. Wir verbrachten dort zwei Tage und zwei Nächte. In der nächsten Nacht trieben uns die Polen zurück. Wir nahmen den Kampf auf, um den Rückzug unserer Einheiten zu decken, und das Manöver gelang. Als Tarnmantel diente ein Orkan, ein entfesselter Regenkatarakt, ein schwerer Sommersturm, der sich mit Strömen schwarzen Wassers auf die Welt stürzte. Wir räumten die Stadt binnen vierundzwanzig Stunden. In der nächtlichen Schlacht fiel auch der Serbe Dundić, der Tapferste von allen.

In dieser Schlacht zeichnete sich Paschka Tichomolow aus. Die Polen griffen seinen Troß an, der ungeschützt in der Ebene stand. Paschka reihte seine Wagen zu einer Schlachtordnung, die nur ihm bekannt war. So hatten vielleicht die Römer ihre Wagen aneinandergereiht. Es stellte sich heraus, daß Paschka plötzlich ein Maschinengewehr hatte. Vielleicht hatte er es gestohlen und für den Notfall versteckt. Mit diesem Maschinengewehr schlug Tichomolow den Angriff zurück und rettete den ganze Troß, außer zwei Wagen, deren Pferde getötet wurden.

Paschkas Rehabilitierung wurde nicht bekanntgegeben; wir wußten aber, daß er zurückkommen würde. Und er kam. Er trug Galoschen, die er über die nackten Füße gezogen hatte. Seine Finger waren verbunden. Fäden schwarzer Gaze hingen daran herunter. Paschka kam im Dorf Budjatitschi zu uns, auf dem Platz vor der Kirche, wo unsere Pferde angepflockt waren. Baulin saß auf der Kirchentreppe und badete seine Füße in einem Bottich. Seine Zehen eiterten. Sie waren rosa, wie Eisen, wenn es zu rosten anfängt. Strähnen seines strohigen Haars hingen ihm in die Stirn. Die Sonne brannte auf die Ziegel und auf die Schindeln des Kirchendachs. Bisjukow stand neben dem Schwadronskommandeur, steckte ihm eine Zigarette in den Mund und zündete sie an. Seinen zerrissenen Mantel hinter sich herschleppend, trat Tichomolow auf die Pflöcke zu, mit quatschenden Galoschen. Argamak streckte den langen Hals und wieherte, als er seinen Herrn erblickte. Er wieherte wie ein Pferd in der Wüste. Das geronnene Blut auf seinem Rücken wand sich wie ein Spitzengewebe zwischen den Streifen des wunden Fleisches. Paschka stand vor dem Pferd. Die schmutzigen Gazefäden hingen unbewegt herab.

»So ist das also«, sagte der Kosak kaum hörbar.

Ich trat vor.

»Wollen wir uns versöhnen, Paschka? Es freut mich, daß das Pferd wieder zu dir kommt. Ich komme mit ihm nicht aus... Wollen wir uns versöhnen?«

»Es ist noch nicht Ostern, daß man sich versöhnt«, sagte der Zugführer hinter meinem Rücken und drehte sich eine Zigarette. Die Hose war ihm heruntergerutscht, sein Hemd stand offen über der kupferfarbenen Brust; er rastete auf der Kirchentreppe.

»Versöhnt euch«, murmelte Bisjukow, Tichomolows Landsmann, der Paschkas Vater Kalistrat kannte.

Ich fühlte mich einsam unter diesen Menschen, deren Freundschaft ich nicht erringen konnte.

Tichomolow stand vor dem Pferd wie festgewachsen und rührte sich nicht. Kräftig und frei atmend streckte ihm Argamak die Nüstern entgegen.

»So ist das also«, wiederholte der Kosak, drehte sich plötzlich zu mir und sah mir gerade in die Augen. »Ich will mich mit dir nicht versöhnen.«

Mit quatschenden Galoschen ging er den vor Hitze kochenden Weg entlang und wirbelte den Staub der Dorfstraße auf. Argamak folgte ihm wie ein Hund. Die Zügel hingen ihm unter dem Maul und sein langer Hals war vorgebeugt. Baulin rieb noch immer in dem Bottich die rostrote Fäulnis von seinen Füßen.

»Du hast mich einen Feind genannt«, sagte ich zu ihm. »Was kann ich für das alles?«

Der Schwadronskommandeur hob den Kopf.

»Ich verachte dich«, sagte er, »ich verachte dich von ganzem Herzen... Du hast dir vorgenommen, ohne Feinde zu leben – nur daran denkst du.«

»Küßt euch«, murmelte Bisjukow und wandte sich ab.

Auf Baulins Stirn erschien ein feuriges Mal. Seine Wangen zitterten.

»Weißt du, was daraus folgt?« sagte er. »Geh weg von uns. Geh zum Teufel!«

Ich mußte weg von ihnen. Ich wurde in die Sechste Schwadron versetzt, und dort ging es mir besser. Wie immer es auch gewesen war: Argamak hatte mir Tichomolows Art zu reiten beigebracht. Monate vergingen, und mein Traum wurde wahr. Die Kosaken verfolgten mich und mein Pferd nicht länger mit ihrem mißtrauischen Blick.

Bei unserem alten Machno

Sechs Machno-Leute hatten in der Nacht ein Dienstmädchen vergewaltigt. Als ich am nächsten Morgen davon hörte, wollte ich wissen, wie eine Frau aussieht, die sechsmal vergewaltigt worden war. Ich fand sie in der Küche. Sie stand über den Waschtrog gebeugt und wusch. Es war eine dicke Frau mit roten Wangen. Nur das ruhevolle Leben auf der fruchtbaren Erde der Ukraine kann eine Jüdin mit solchen Kuhkräften segnen und ihrem Gesicht einen so fettigen Glanz verleihen. Die Beine des Mädchens, rot wie Ziegel und rund wie Bälle, rochen süßlich wie frisch geschnittenes Fleisch. Daran, was gestern geschehen war, schienen nur noch ihre Wangen zu erinnern, die heißer waren als sonst, und der gesenkte Blick.

Außer dem Dienstmädchen saß in der Küche der kleine Kikin, Kurier im Stab unseres alten Machno. Im Stab hielt man ihn für verrückt, denn er liebte es, im unpassendsten Augenblick plötzlich einen Kopfstand zu machen. Mehr als einmal fand ich ihn vor dem Spiegel: Da stand er dann, in zerrissener Hose mit eingeknicktem Bein, grinste sich zu, schlug sich auf den nackten Knabenbauch, sang Kampflieder und warf sich in heroische Posen, über die er sich dann gleich wieder totlachen wollte. In diesem Knaben wucherte eine lebhafte Phantasie. Heute ertappte ich ihn wieder bei einer ungewöhnlichen Tätigkeit: Er beklebte einen deutschen Helm mit Stanniolpapier.

»Wie viele hast du gestern drübergelassen, Ruchlja?« fragte er und betrachtete mit zusammengekniffenen Lidern seinen geschmückten Helm.

Das Mädchen schwieg.

»Sechs hast du drübergelassen«, sagte der Knabe. »Aber es gibt Frauen, die zwanzig Männer aushalten. Diese Brüder haben eine Bäuerin in Krapiwno hergenommen und sie so lange bearbeitet, bis sie selbst nicht mehr konnten. Aber die war dicker als du.«

»Bring mir Wasser«, sagte das Mädchen.

Kikin brachte aus dem Hof einen Eimer Wasser. Dann ging er, und seine bloßen Füße klatschten auf den Boden, zum Spiegel, stülpte sich den Helm auf den Kopf und betrachtete aufmerksam seine Erscheinung. Sein Spiegelbild begeisterte ihn. Er steckte seine Finger in die Nasenlöcher und beobachtete begierig, wie sich die Form seiner Nase unter dem Druck von innen änderte.

»Ich werde mit der Vorhut mitgehen«, sagte er und wandte sich der Jüdin zu. »Erzähl es aber niemandem, Ruchlja. Stezenko nimmt mich zu seiner Schwadron. Dort gibt es wenigstens eine Ausrüstung. Man wird mich achten, ich werde Kameraden finden und nicht wie hier eine Bande von Bettlern… Gestern, als sie dich gefaßt hatten und ich deinen Kopf festhielt, sagte ich zu Matwej Wassilitsch: ›Was soll das‹, sagte ich, ›Matwej Wassilitsch, das ist jetzt schon der vierte, und ich halte nur und halte. Aber mich kann ja jeder beleidigen, weil ich noch minderjährig bin und nicht zu eurer Bande gehöre!‹ Du hast vielleicht selbst ihre Worte gehört, Ruchlja. ›Wir wollen dich gar nicht beleidigen, Kikin‹, sagte er. ›Zuerst kommen alle Diensthabenden dran, und dann du!‹ Sie wollten mich auch lassen, aber wie… Als sie dich schon in das Wäldchen schleppten, sagte Matwej Wassilitsch: »Komm jetzt, Kikin, wenn du willst.‹ – ›Nein‹, sagte ich, ›Matwej Wassilitsch, ich will nicht nach Waska drankommen und dann womöglich das ganze Leben lang meinen Jammer haben.‹«

Kikin schneuzte sich wütend und schwieg. Er legte sich auf den Boden, barfuß, lang, mit nacktem Bauch, mit dem glänzenden Helm auf seinen strohigen Haaren, und starrte ins Leere.

»Da erzählt das Volk von den Machno-Leuten und von ihrem Heldentum«, sagte er betrübt. »Aber man erlebt wenig Gutes mit ihnen, sehr wenig Gutes. Ich glaube, sie haben alle ein Herz aus Stein.«

Die Jüdin hob ihr Gesicht, in das ihr das Blut geschossen war, vom Waschtrog, sah den Knaben einen Augenblick an und verließ die Küche mit dem schweren Schritt eines Reiters, der nach langem Ritt seine geschwollenen Füße auf den Boden setzt. Der Knabe schlenderte mit nachdenklichem Blick durch die Küche, seufzte, stützte sich mit den Handflächen auf den Boden, warf seine Beine in die Höhe und begann, während die Füße unbeweglich in die Luft ragten, schnell auf den Händen zu gehen.

Der Sohn des Rabbi

Erinnerst du dich noch an Schitomir, Wassili? Erinnerst du dich an den Teterew-Fluß, Wassili, und an jenen Abend, als der junge Sabbat sich heranschlich, am Sonnenuntergang entlang, und die Sterne unter seine rote Ferse trat?

Die schmale Mondsichel badete ihre Pfeile im schwarzen Wasser des Teterew. Der kuriose Gedalje, Begründer der Vierten Internationale, führte uns zu Rabbi Motale Bratzlawski zum Abendgebet. Der Hahnenschwanz auf Gedaljes Zylinder flatterte durch den rötlichen Rauch des Abends. Im Raum des Rabbi glänzten die eifrigen Augen der Kerzen. Über ihre Gebetbücher gebeugt, stöhnten dumpf breitschultrige Juden, und der alte Komödiant aus der Dynastie der Zaddiks von Tschernobyl klimperte mit Kupfermünzen in seiner zerrissenen Tasche.

...Erinnerst du dich an diese Nacht, Wassili...? Draußen wieherten die Pferde und schrien die Kosaken. Draußen gähnte die Wüste des Krieges, und der Rabbi Motale Bratzlawski klammerte seine abgenutzten Finger in den Talit und betete an der Ostwand. Und dann teilte sich der Vorhang des Schreins, und im Trauerglanz der Kerzen erblickten wir die Rollen der Thora, in purpurnen Samt und blaue Seide gehüllt, und über die Thora gebeugt das regungslose, demütige, wunderbare Gesicht des Elia, des Rabbi-Sohns, des letzten Prinzen der Dynastie.

Und vorgestern, Wassili, brach die Kowel-Front, die von den Regimentern der Zwölften Armee gehalten werden sollte. Über die Stadt hin dröhnte verächtlich die Kanonade der Sieger. Unsere Armee erzitterte und geriet in Verwirrung. Der Eisenbahnzug der Politischen Abteilung kroch über die Rücken der toten Felder. Und ein monströses, phantastisches Rußland hüpfte wie eine Herde bekleideter Flöhe zu beiden Seiten der Waggons. In diesem Heer zog der Typhus mit, der altgewohnte Soldatentod. Die kranken Bauern sprangen auf die Trittbretter unseres Zugs und stürzten zurück, von Kolbenstößen getroffen. Sie schnaubten, sie schlugen um sich, stürmten von neuem vor und schwiegen. Und zwölf Werst weiter, als ich keine Kartoffeln mehr für sie hatte, warf ich einen Haufen Trotzki-Broschüren unter sie. Aber nur einer von ihnen streckte seine Totenhand nach der schmutzigen Broschüre aus. Und ich erkannte Elia, den Sohn des Rabbi aus Schitomir. Ich erkannte ihn sofort, Wassili. Und so quälend war es für mich, einen Prinzen zu sehen, der seine Hose verloren hatte und tief unter der Last des Tornisters gebückt war, daß ich alle Vorschriften vergaß und ihn in den Waggon hereinzog. Seine nackten Knie, die schwach waren wie die einer Greisin, schlugen gegen das verrostete Eisen der Trittbretter; zwei vollbusige Stenotypistinnen in Matrosenblusen schleppten den langen, schamhaften Körper des Sterbenden den Gang entlang. Im Redaktionswagen legten wir ihn in eine Ecke. Die Kosaken in roten Hosen rückten ihm die heruntergerutschte Kleidung zurecht. Die einfältigen Mädchen stemmten ihre krummen Beine gegen den Boden und starrten dumpf auf seine Genitalien, auf die abgezehrte, zarte Männlichkeit eines erschöpften Semiten. Und ich, der ich ihn in einer meiner Wandernächte kennengelernt hatte, sammelte die verstreuten Habseligkeiten des Rotarmisten Motale Bratzlawski.

Ich legte sie in eine Kiste. Und da lag nun alles zusammen: sein Agitations-Ausweis und das Notizheft des jüdischen Dichters; Bilder von Lenin und Maimonides; nebeneinander der knotige Eisenschädel Lenins und das seidenzarte, ermattete Antlitz des Maimonides-Porträts. In die Broschüre mit den Resolutionen des Sechsten Parteikongresses war eine Frauenlocke gelegt, und auf den Rädern der kommunistischen Broschüre drängten sich dicht die verschlungenen Zeilen hebräischer Verse. Wie ein trauriger und absurder Regen fielen Seiten des Hohenlieds und Revolverpatronen auf mich. Der traurige Regen der Abenddämmerung wusch aus meinen Haaren den Staub. Und ich sagte zu dem sterbenden Jüngling, der in der Ecke auf zerrissener Matratze lag: »Vor vier Monaten, am Freitagabend, führte mich der Antiquitätenhändler Gedalje zu Ihrem Vater, dem Rabbi Motale. Aber Sie waren damals noch nicht in der Partei, Bratzlawski...«

»Ich war in der Partei«, antwortete der Jüngling, rieb sich die Brust und wand sich im Fieber. »Aber ich konnte meine Mutter nicht verlassen.«

»Und jetzt, Elia?«

»Die Mutter ist für die Revolution nur eine Episode«, flüsterte er mit ersterbender Stimme. »Mein Buchstabe kam an die Reihe, der Buchstabe B, und die Organisation schickte mich an die Front.«

»Und so sind Sie nach Kowel gekommen, Elia?«

»So bin ich nach Kowel gekommen!« schrie er verzweifelt. »Dort brachen sie in unsere Linien ein. Ich mußte ein rasch zusammengewürfeltes Regiment übernehmen, aber es war zu spät. Ich hatte zu wenig Artillerie.«

Er starb, noch bevor der Zug in Rowno war. Er starb, der letzte Prinz, inmitten von Versen, Fußlappen und jüdischen Amuletten mit den zehn Geboten.

Wir begruben ihn an einer verlassenen Bahnstation. Und ich, der ich mit meinem uralten Körper den Stürmen meiner Phantasie kaum standhalten kann, empfing den letzten Hauch meines Bruders.

Editorische Notiz

Der Zyklus ›Die Reiterarmee‹ wurde 1926 zum erstenmal veröffentlicht. Milo Dor und Reinhard Federmann, die Übersetzer der vorliegenden Ausgabe, haben der Sammlung die zwei Geschichten ›Argamak‹ und ›Bei unserem alten Machno‹ hinzugefügt, die Babel später geschrieben hat, die aber thematisch zur ›Reiterarmee‹ gehören.

Alfred Döblin

»... ist unter den wenigen ganz großen Schriftstellern der am wenigsten entdeckte.« (Ludwig Marcuse)

dtv 295

dtv 1389

Die drei Sprünge des Wang-lun
dtv 1641

Ein Kerl muß eine Meinung haben
dtv 1694

Der Überfall auf Chao-lao-sü
dtv 10005

Babylonische Wandrung oder Hochmut kommt vor dem Fall
dtv 10035

dtv 1552

dtv 10144

dtv

Joseph Roth

». . . einer der besten deutschen Erzähler im zwanzigsten Jahrhundert.«
(Hermann Kesten)

Joseph Roth:
Die Kapuzinergruft
Roman

dtv

dtv 459

Joseph Roth:
Der Leviathan
Erzählungen

dtv

dtv 1127

Joseph Roth:
Hotel Savoy
Ein Roman

dtv

dtv 1336

Joseph Roth:
Die Flucht ohne Ende
Ein Bericht

dtv

dtv 1408

Joseph Roth:
Radetzkymarsch
Roman

dtv

dtv 1715

dtv